中小学学科文化丛书

数学读本

SHUXUE DUBEN

二年级 下

主　　编　钟建林　钱守旺

本册主编　郭力丹　林秋明

编　　者　刘雪琳　柯　娜

编　　委　陈珊芬　陈少斌　崔晓梅　丁顺慧　方齐珍
　　　　　凤　霞　冯　静　郭力丹　郭俊霞　郭秋实
　　　　　黄建兰　何福磊　韩　颖　柯　娜　李　云
　　　　　林凤磷　林秋明　林志鹏　刘　萍　刘雪琳
　　　　　刘培福　李　军　刘　畅　李延春　马恩伟
　　　　　牛洪国　钱守旺　沈克芬　孙喜索　吴丹丹
　　　　　吴孟帅　魏利国　汪　聪　游爱端　杨　玲
　　　　　张　虹　张丽娟　张延芳　张长春　郑美玲
　　　　　钟建林　钟　阳　张　超　张甲明　周敬红

北京出版集团公司
北京教育出版社

图书在版编目（CIP）数据

数学读本. 二年级. 下/钟建林，钱守旺主编. —
北京：北京教育出版社，2015.1
（中小学学科文化丛书）
ISBN 978 - 7 - 5522 - 5319 - 1

Ⅰ. ①数… Ⅱ. ①钟… ②钱… Ⅲ. ①小学数学课—
教学参考资料 Ⅳ. ①G624.503

中国版本图书馆 CIP 数据核字（2014）第 280160 号

数学读本 二年级 下

主编 钟建林 钱守旺

*

北 京 出 版 集 团 公 司
北 京 教 育 出 版 社 出版
（北京北三环中路 6 号）
邮政编码：100120

网 址：www . bph . com . cn
北 京 出 版 集 团 公 司 总 发 行
新 华 书 店 经 销
定州市新华印刷有限公司印刷

*

710 毫米×1 000 毫米 16 开本 5 印张 60 千字
2015 年 1 月第 1 版 2017 年 12 月第 4 次印刷

ISBN 978 - 7 - 5522 - 5319 - 1
定价：12.00 元

质量监督电话：010—82899187 010—58572750 010—58572393

前 言

打开数学的另一扇窗

小学生在学校获取数学知识的主要渠道是数学教科书，数学教科书由于受到版面的限制，很多知识不能展开，学生不能看到知识的来龙去脉，更找不到知识的源与流。再看教科书的练习设计，教科书的编写者虽然在设计练习时注意到了层次性，但拓展题数量有限，对于那些数学资优生来讲，只做这些题目显然"吃不饱"。

课外阅读"读什么"很重要。现在之所以很多孩子不喜欢数学，惧怕数学，很大程度上与我们提供给孩子们的学习材料有关系。这套丛书是一套源于教材的课外拓展读本。它不同于传统的奥数教材，如果说"奥数"是提供给10％的优等生使用，那么本套书可以提供给所有的小学生使用。

参与本丛书编写的有全国著名特级教师、省（市）级学科带头人、骨干教师。这些教师具有丰富的一线教学经验，能够准确把握当今小学数学教学改革的最新动向。

本套丛书一共12册，每个年级2册。每册结构、体例完全统一，体现"同构性"。每册书分成"智慧果""万花筒""体验岛"三大板块。

本套丛书的主要特色如下：

1. 对教材内容进行深度解读，体现"拓展性"。

智慧果板块按照小学现有教材进度选材，保证了学生的可接受性，也便于教师教学和家长辅导。

第一板块的选材角度主要考虑两个方面：一是往前找，给书本知识进行"寻根"，讲知识的来源；二是往后看，找所学知识在生活中的应用，突出数学与生活的联系。

2. 编写语言通俗易懂，体现"可读性"。

读本选材广泛，所选材料体现了阅读的趣味性、启发性、益智性和引导性，很多材料都让小学生试读过，孩子们读后觉得很有意思。本套书的基本内容包含教材知识的拓展，数学家的故事，数学文化介绍、数学历史故事、数学童话故事、数学笑话、数学游戏、经典趣题等。

3. 认真推敲、润色每一篇文稿，体现"感染性"。

数学读本应该是数学与文学的有机结合。作为本丛书的编写者，我们尽可能把书中的文章写得通俗易懂，集知识性、趣味性、文学性、娱乐性于一体，满足小学生的好奇心和求知欲。只要有一篇文章或者一个小故事能够触动孩子的数学神经，能够激起孩子学习数学的兴趣，我们就感到非常欣慰。

本书既可以作为小学生的课外阅读材料，也可以作为学校的数学校本教材。

总之，这是一套适合教师、家长和学生阅读的课外读物，是一套经过实践检验证明可以激发学生学习兴趣、训练学生思维、开阔学生视野、感悟学习方法、提升小学生数学素养的好书。相信通过本套丛书的系统学习，孩子们可以拿到一把开启智慧大门的金钥匙。

目 录

板块三　体验岛

板块一

智慧果

买学习用品的学问

"六一"儿童节快到了，黄老师准备在班上举行庆祝活动，同时还要表彰在各方面表现优秀的同学。

黄老师决定买一些学习用品作为奖品。可是要买什么呢？黄老师犯愁了。奖品是要发给同学们的，还是听听同学们的意见比较好。于是，黄老师选了几种——铅笔、橡皮、笔记本、书签和卷笔刀，让每个同学都从中选一种，并且只能选一种，看看大家的选择，再做决定。

来到班上，黄老师说明了要求，就让大家开始举手投票。然后，黄老师叫淘气和笑笑进行统计，不一会儿，淘气和笑笑就把大家的意见统计好了。黄老师看了看，把兄妹俩统计的结果绘成了一张图。（如图）

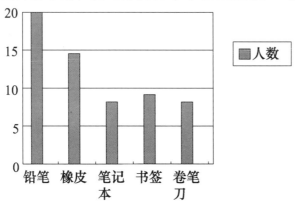

小朋友，你看懂这幅图了吗？

看着这幅自己参与制作的关于统计结果的图，兄妹俩明白了：不同的人，喜欢的东西不一样。做事不能只想自己，应该全面考虑，才能把事情办好。

黄老师根据淘气和笑笑的统计结果，购买了奖品。儿童节当天，同学们不仅玩得开心，而且还得到了自己喜欢的奖品。淘气和笑笑心里也是甜滋滋的。

数学王国的新成员

今天，数学王国十分热闹。原来，王国里要迎来一位新成员。

一大早，人们就聚集在王宫前的广场上，等着见这位新成员的庐山真面目。终于，国王领着他出来了，只见他长得：中间是一条"—"，上下各有一个点——"÷"。人们议论开了："他长得很奇怪，不是吗？""他和减号（—）兄弟有点儿像呀！""他到底是谁啊？"……

正在大家议论纷纷时，国王清了清嗓子，说："大家请安静，我来介绍一下，这位新朋友叫除号。"国王请除号往前一步，接着说："下面，有请除号作自我介绍。"

除号大声地说："大家好，我叫除号。很久以前，瑞士数学家拉恩，在他的一本书中最先使用了我，因而我又被称为'拉恩记号'。很高兴认识大家，谢谢！"

不远处，加号、减号和乘号正在玩耍，听说来了个跟减号很像的新朋友，三人立即赶往广场。

不看不知道，一看吓一跳。减号说："喂，兄弟，你是谁啊？怎么跟我长得这么像呢？"除号笑着说："我是除号啊！我（÷）跟你（—）长得还是有点儿不一样的，我中间的横线把上、下两部分隔开，表示'分'哦！"乘号问道："减号也是表示分啊，你们表示的意思难道不一样吗？""当然不一样咯！"除号又说，"我所表示的分是平均分，要分得一样多才行。"说完，除号往数字"6"和"2"中间一站，立马出现了结果"3"。"这表示把6平均分成2份，每份是3。"除号接着说，"其实，'6÷2'还可以表示6里面有几个2。""哦，原来除号表示的是这个意思，确实跟减号不一样。"加号笑呵呵地说。

大家纷纷跑过去，拥抱这位新成员。

小朋友，现在你知道，除号表示什么意义了吧？

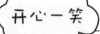

给过了

孩子："妈妈，我们考完了。"

妈妈："看你都瘦了，妈妈给你煮几个鸡蛋吃。"

孩子："不用了，老师已经给过了。"

🍃 分零食

今天，淘气和笑笑邀请了两位好朋友来家里玩儿，妈妈特意买了一大堆好吃的东西招待他们。

兄妹俩见了，馋得直流口水。淘气说："这么多零食，该怎么分呢？"笑笑说："这还不容易，要吃的举手，我来分。"

于是，笑笑拿出 12 包山楂片，问："谁要吃？" 3 个人举了手。于是，笑笑给畅畅 5 包，淘气 3 包，乐乐 4 包。淘气一看，不乐意了："你给每个人分的不一样多，不公平。我来分。"淘气先是给每人一包，还剩 9 包；接着又给每人一包，分掉 3 包，还剩下

6 包；再每人一包，分掉 3 包；最后剩下 3 包，淘气又给每人再分一包。这样一共分了 4 次，每人是 4 包。

笑笑在旁边嘀咕着："这样一包一包分，不嫌麻烦呀！"

淘气说："那你有什么好办法？"笑笑说："我们可以把12包平均分成3份，每份4包。""我也算出来了，12除以3，三四十二，一人4包。"畅畅接着说，"不错，就是做除法想乘法。"

淘气不服气地说："你算出来的结果，不是和我一样吗？有什么了不起的！"

笑笑说："你一个一个分，少的还行，如果要分120包山楂片，那得花多少时间呀！"

虽说淘气嘴上不服气，但心里还是很佩服笑笑的。

这时，妈妈拿来了一块蛋糕，淘气喊道："谁要吃蛋糕？"4个人都举了手，淘气说："等着，我来分。"淘气低头一看：蛋糕怎么缺了一角（如图），这可怎么平均分成4份呀？淘气犯难了……

小朋友，开动你的脑筋，帮帮淘气吧！

🍃 游乐园里的平移和旋转

星期天，妈妈带淘气和笑笑到游乐园玩儿。笑笑说："哥哥，咱们刚学了平移和旋转，今天就来找找游乐设施，看哪些是平移，哪些是旋转，比比谁找得多吧。"

"好啊。"淘气先说，"小火车在平移。"笑笑接着说："旋转木马在旋转。"兄妹俩边走边看，找到了好多旋转和平移的游乐设施。

"快看，摩天轮！它是在平移还是旋转呢？"淘气嘴里嘀咕着，手不由自主地跟着摩天轮比划。

"哦，它在转动。"淘气恍然大悟，"我知道了，是旋转。"

笑笑说："摩天轮在转动，可上面人的头始终朝着一个方向，有点儿像平移哦。"

"是啊，人好像是在平移呢。"淘气说道，"可平移不都是在上下或左右移动的吗，这样也算平移吗?"

笑笑说："对呀，摩天轮上的人是斜斜地移动的。我们去问问妈妈吧。"

"只要是按照直线方向移动，就是平移，方向斜斜的也可以。"妈妈告诉兄妹俩，"摩天轮上的人是在平移，摩天轮整体是在旋转，因而在整个摩天轮运动的过程中，既有平移又有旋转。"

这时，淘气看见有人在荡秋千，于是问："这是旋转吗?"

笑笑说："好像是，又好像不是。它没有转一整圈呢!"

妈妈说："旋转是绕着某一点，或某一条线转动一个角度。有转动都是旋转。"

"哦，那荡秋千就是旋转了。"淘气听完，抢先说道。

妈妈点了点头。

兄妹俩在游乐园里找啊找啊，他们又发现了空中单车是平移；林中飞鼠是旋转；还有升降机是上下平移……

小朋友，你也来找找身边的平移和旋转吧!

开心一笑

用心算

"小明，2 加 2 等于几?"老师一问，小明就扳着手指头数，弄了半天才回答："4。"老师见状，便说："你老是这么算不行。从今以后，你把手插在口袋里，用心算。"

第二天，老师让他把双手插进口袋，问："5 加 5 等于几?"小明回答："11。"

四开八开比大小

美术课上，老师通知同学们回家准备八开的画纸，下次上课时用。

淘气和笑笑一放学就往文具店跑，一进店，就大声喊道："阿姨，我们要2张八开的画纸。""真不巧，八开的画纸卖完了。"阿姨笑着回答。淘气一听卖完了，顿时像泄了气的皮球。"有了，阿姨，请给我们4张四开纸，把它们两张两张粘在一起，不就是2张八开纸了吗？"淘气得意洋洋地说。"哈哈，你好笨啊，哥哥，四开比八开的要大，一张四开纸，能裁成2张八开纸呢。"笑笑说。"不可能，8比4大，所以八开比四开大。"淘气争辩着。

兄妹俩谁也不服谁，就闹到了美术老师的办公室。老师了解了事情的经过后，拿出了一张白纸，微笑着说："在形容纸的大小时，一般用'开'表示，'开'就是把纸分开的意思。"

老师说着，动手折起纸来（见下图）："你们看，把一张标准的纸，平均分成2份就是对开；平均分成4份就是四开；平均分成8份就是八开；平均分成16份就是十六开。淘气，现在你觉得哪个大呢？"

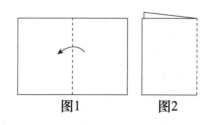

图1　　　图2

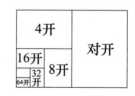

"哦，我明白了，笑笑说得对。那我只要把一张四开的纸平均分成两份，就是八开的了。"淘气茅塞顿开。

笑笑补充道："一张纸，开数越大，每份就越小哦。"

说完，兄妹俩高高兴兴地买了一张四开画纸，一分为二，每人都有了一张八开的画纸。

他们不仅买到了画纸，还学到了新的数学知识，真是一举两得啊！

小朋友，你明白了吗？

✑ 解救王后 （一）

淘气和笑笑路过加减法王国，听到一阵哭泣声，寻声找去，原来是加加公主坐在草地上，正哇哇大哭呢。

"怎么了？"淘气和笑笑赶忙问。

"我母后被乘除王国里的乘乘、除除两兄弟抓走了，父王派了一批又一批加减士兵去解救，都被打退了，这可怎么办啊？"

笑笑关心地问："你能详细说说吗？"

加加公主平了平情绪，给他们讲了起来。原来，加减国王派出本国大力士1000，一鼓作气，一直冲到了乘除王国的大本营。最后乘除王国派出10，1000一看，笑得前仰后合，叫嚷道："好你个乘除王国，我1000在此，你竟然只派出这么个小人物，看我把你这个小兵，打个稀巴烂，好让你们见识一下我的厉害！"

于是，1000双手叉腰，伸出手往里一勾，轻蔑地说："你这个无名小卒，今天就让你尝尝我1000的厉害，过来受死吧。"

谁料，这位10临危不惧。只见它从身上取下一个叫"除号"的宝物，对准1000一照，奇迹发生了：1000的身子突然小了，变成了100。接着，10再拿起宝物"除号"，往100身上一照，100的身子又小了，变成了10。更糟糕的是，1000发现自己这时变得和10一样大小了，感到大事不妙，一溜烟儿就跑回了加减王国。

　　大力士 1000 回去后，把遇到的怪事，一一禀告给了加减国王，国王听了，皱紧了眉头。加减王国军师 66 提议说："乘除兄弟有神秘武器，能让我们不断变小，即使我们兵力再强，也不是它们的对手，我们得另想办法了。"另一个军师 99 也提议说："单打独斗是不行了，我们必须组队，挑选两名士兵，可以带上我们的传家宝'加号'，再出兵乘除王国，一定会大获全胜。"

解救王后（二）

　　话说加减王国，派出最强的阵营 "6＋8" 组合（如图），一路快马加鞭，朝乘除王国冲去。

6+8

乘除兄弟一看，来的是个阵营组合，里面有两个士兵，加一个金光闪闪的神秘武器，将他们俩紧紧连在一起。一问身边的兄弟姐妹，大家有点儿蒙了，乘除王国竟没人见过这种神秘武器，一时间更别提打败这个阵营组合了。

只听阵营士兵喊道："我们是加减王国的最强组合，曾经参加过多场战役，并取得了显赫战功。现在你们要是主动送出皇后，就放你们一条生路；否则，我们将踏平你们的王国。"

乘除兄弟把情况禀报给城里的乘除国王。国王立刻召开会议，经过一番紧急商议，决定派出最英勇的战士 7，也带上威力强大的"乘号"武器，前往应战。

7 号战士挥舞"乘号"武器，冲向加减阵营。只见一阵狂风大作，"6＋8"被吹得东倒西歪，紧紧相连的阵营也慢慢裂开，缝隙越来越大，"当"的一声，6 号士兵眼睁睁地看着自己的 8 号兄弟被对方的 7 号战士带走了，转眼，他们也组成了一个阵营："8×7"（如图）。这时 6 号士兵慌了，赶忙捡起"加号"武器，一路狂奔，逃回了加减王国。

淘气和笑笑听完，看了看布阵图，说："你们和乘除王国这样一直打下去，会输到片甲不留的。"

加减王国的兄弟们都很不解，不约而同地问："为什么啊？"

"因为在数学王国里有一条规定：加减乘除在一起，先算乘除，后算加减，所以你们仅靠自己，是打不过乘除王国的。"笑笑接下去说。

"那怎么办呀？你们快帮忙想想办法吧，都急死人了。"加加公主又要哭了。

笑笑不紧不慢地说："办法是有的，你们可以去符号王国，请小括号这个救兵，他要是肯帮忙，就能打退乘除兄弟哦。"

情况十万火急，加加公主带上国王的求救信，去请来了小括号。在小括号的保护下，6＋9 变成了（6＋9）。乘除王国先派出 2 号士兵，带上除号武器，没能拆散（6＋9），又派出 8 号士兵带上乘号，还是没能拆散它们，只好认输，放出了加减王国的王后。

从此，加减王国又恢复了往日的宁静。

开心一笑

四舍五入

历史教师："你知道武则天是什么人吗？"

学生："武则天是数学家。五过则添，就是发明'四舍五入'的那位大数学家。"

狐狸的诡计

在一条小河边，生活着 6 只小猫。一天，小猫们相约去河边钓鱼。它们发现，自己独自钓鱼，钓到的鱼很少。于是商量成立一个捕鱼小队，合作捕鱼。

果然，这次捕到的鱼很多。小猫们将捕到的鱼分完，高高兴兴地回家了。

可是，没几天，小猫们就开始闹别扭了。原来，小猫们数学不好，捕到的鱼不会平均分，有的分得多，有的分得少，总有小猫不高兴。

狐狸听说后，就找来了，对它们说："我会平均分，可以帮你们。不过，平均分完，剩下的要归我。"小猫们答应了。

第一次，它们钓了 32 条鱼。狐狸帮忙分，每只小猫分到 5 条，剩下的 2 条，自然就归狐狸了。小猫们得到了一样多的鱼，就高高兴兴地回去了。

接连几天，狐狸都分得很公平，小猫们很满意。可狐狸觉得自己得到的鱼很少，不甘心了，于是眼珠一转，计上心来。

这一天，小猫们钓了 37 条鱼。狐狸分给每只小猫 5 条鱼，自己拿了 7 条。小猫们觉得有点儿奇怪，但一时又说不清是怎么回事，只好回家去了。

　　第二天，它们钓了 43 条鱼。这一次，狐狸还是分给每只小猫 5 条鱼，自己拿了 13 条。

　　一只小猫说："我们前几天钓了 32 条鱼，每只猫分到 5 条；昨天钓了 37 条，也是分到 5 条；今天钓了 43 条，为什么还只分到 5 条呢？"

　　其他小猫都有同感，也很纳闷，可偏偏都不明白问题出在哪里。

　　"我们辛苦捕鱼，狐狸分的却比我们多，肯定是它骗了我们。"小猫们很气愤，找狐狸算账去了。

　　狐狸狡辩说："我分得很公平，你们每只小猫都分到了 5 条鱼，是一样多的呀！"

　　"不对，不对！"小猫们纷纷抗议。终于，有只年长的猫，看出了问题，说："我们分到的是一样多，可是昨天和今天这两次剩下的，都还可以再分，7 条鱼每只猫还可以再分 1 条，13 条鱼每只猫还可以再分 2 条呢！"

　　"对呀，必须是分完不能再分的，才能给你。你只能拿最后剩下的。"小猫们忽然醒悟了过来，纷纷赞同，并提出新的分鱼方案。

　　狐狸见诡计被识破，只好乖乖地把多拿的鱼还给了小猫们。

　　小朋友，在计算整数除法时，如果有余数，余数一定要比除数小哦。不然，你就成了偷鱼（余）的小狐狸啦！

分桃风波

　　桃子成熟了，小猴们可开心了，因为猴妈妈要给它们分桃子吃。猴妈妈也很高兴，因为今年种的桃子大丰收。

9 只小猴早早地来到山脚下，等待妈妈的出现。

只见猴妈妈运来两箱桃子，小猴们喜上眉梢，争着围到妈妈跟前。

妈妈知道小猴们个个嘴馋，等着吃桃，于是开始说话了："宝贝们，这里有两箱桃子，第一箱分给老大到老四4人，要剩下3个桃子给妈妈；第二箱分给老五到老九5人，要剩下4个桃子给爸爸。你们没意见吧?"

小的 5 只小猴都撅着嘴，觉得不公平："凭什么我们剩的比哥哥们多，那不是少分了吗?"

猴哥哥们也觉得奇怪，妈妈平时不偏心，今天是怎么了？

猴妈妈不动声色地打开第一箱，里面有 19 个桃子，5 只小猴算了算："19÷4＝4(个)……3(个)，哥哥们每人分 4 个桃。"猴妈妈又打开第二个箱子，小猴们也数了数，说："有 24 个桃子，24÷5＝4(个)……4(个)，咦！我们也是分到 4 个桃子!"

小猴们都不好意思地低下了头。

猴妈妈笑着说："宝贝们，剩下多少，不代表分到多少。除法中，余数的大小，不能决定商的大小哦!"

小朋友，你认为呢？

余数的妙用

周末，淘气和笑笑在家里玩儿"摆棋子"游戏。游戏要求：一个人按心里想的规律摆棋子，另一个人根据规律，猜接下去对方会摆什么颜色的棋子。

笑笑先摆了 2 个白子、3 个黑子，又摆了 2 个白子、3 个黑子（如图），问："接下来，我会摆什么颜色的棋子？"

"白色，两个白色。"淘气一口气说完。"嗯，没错！"笑笑按照淘气说的摆上了棋子。

"这样太简单了。哥哥，不如你猜猜，第 18 个棋子会摆什么颜色的呢？"

淘气嘴里念叨着："白白黑黑黑、白白黑黑黑、白白黑黑黑、白白黑。哦，是黑色的棋子。"

"那第 31 个呢？"

淘气找来一张纸，在纸上画了一大堆白圈和黑圈，终于画到第 31 个，是白子。

笑笑心里暗笑，却不动声色："那第 40 个呢？"

淘气正打算继续画呢，笑笑按住他的手，说："哥哥，我有一个好办法，不用你每次辛苦画圈。"

淘气一听，来劲儿了："快说说！"

笑笑让淘气对着棋盘，好好看一看。"你看，棋子的规律是'2 白 3 黑'重复出现，每 5 个棋子为一组。31 个棋子，可以想应该排成这样的几组。"

"五六三十，可以排 6 组，还剩下 1 个。"淘气回答道。

"对呀，剩下的 1 个，就是第 7 组的第 1 个，所以第 31 个是白子。"

淘气恍然大悟，说："我知道了，五八四十，没有余下棋子，那第 40 个棋子，正好是第 8 组的最后 1 个，是黑子。对吧？"

笑笑笑眯眯地说："对呀，只要算出余数，就能知道这一个是什么颜色了，不用再画那么多圈圈！"

小朋友，如果有 53 个棋子，你知道最后一个是什么颜色吗？

开心一笑

所有台阶

老师："一座楼的楼梯共分五段，每段有 20 级台阶，若要登上顶楼，一共要跨多少台阶？"学生："当然是所有的台阶！"

🍃 生活中的大数

今天，老师教了"比 100 大得多的数"，让同学们都来找找生活中的大数。

上哪儿找呀？回到家的淘气和笑笑，苦恼万分。淘气说："我的体重是 30 千克，如果是 3000 千克，就是大数了。"

妈妈听到了，笑着说："傻孩子，那你就变成 1 头小象咯。"

"这就是说，100 个淘气，相当于一头小象的重量，是吗？"笑笑紧接着问。

"嗯，是的。其实，生活中较大的数，就是由很多较小的数合起来的。"妈妈说道。

"哦，我知道了。我们班有 60 人，10 个班就有 600 人，全校 24 个班就有……"淘气有所领悟，但又算不出有多少人，只好求助笑笑。笑笑算了算：10 个班有 600 人，20 个班就有 1200 人，剩下的 4 个班有 240 人，一共有 1440 人。"1440 是一个大数。"淘气和笑笑同时说道。

"真聪明,大数在生活中的应用是非常广泛的。你们可以上网,或是在报纸上,找找这样的大数。"妈妈进一步启发兄妹俩。

兄妹俩兴致勃勃地上网查找大数,不一会儿,他们找到了很多很多:

我国最长的河流是长江,长度约是 6300(六千三百)千米;

世界上最长的河流是尼罗河,长度约是 6670(六千六百七十)千米;

世界上最高的山峰是珠穆朗玛峰,它的高度约是 8844(八千八百四十四)米。

妈妈听完,直夸淘气和笑笑是爱学习的好孩子。

小朋友,你也来找找生活中的大数吧!

"千克" 与 "克" 的争吵

单位王国里一直都是一片安宁与祥和的景象。但是,这天一阵争吵声打破了这一安宁与祥和。哦,原来是质量城堡里的"千克"和"克"俩兄弟在争吵。

"千克"哥哥说:"你这小不点儿,太没用了。我可是 1000 个你那么多呢!""克"弟弟不服气:"别看我小,我的作用可不小!""哼,你能有什么作用?""千克"哥哥不屑地说。"跟我走。""克"弟弟说,"我会让你知道,少了我是不行的。"

　　他们来到街上的水果摊前，"克"弟弟拿起一个橘子，让老板一称，橘子重60克。"克"弟弟笑着说："瞧，我有用吧！""这有什么！你看那里，一箱橘子上写的可是15千克呢！""千克"哥哥反驳道。

　　他们又来到超市，发现大部分商品都是以千克为单位的，"千克"哥哥骄傲地说："在现实生活中，我应用得更广泛。"

　　"克"弟弟仍然不服气，带着"千克"哥哥去了药店、金店，这些店铺主要是以"克"为单位的。"克"弟弟高兴地说："哈哈，这下你知道我的大作用了吧！"

　　俩人各执一词，不分上下。

　　于是，兄弟俩去找智慧爷爷评理，智慧爷爷微笑着说："傻孩子，你们各有各的优点和用处，离了谁也不行。你们看，这是我一早买的大西瓜，重4千克，其实也可以写成4000克。"

　　智慧爷爷又说："其实质量单位除了你们俩，还有比'千克'大的'吨'，比'克'小的'毫克''微克'哦！"

　　兄弟俩听了智慧爷爷的话，知道自己错了，俩人握手言和，回城堡找其他成员玩儿去了。

　　小朋友，你认识其他质量单位的成员吗？

> **开心一笑**
>
> **揍我一顿**
>
> 　　老师："今天我们学减法。比方说，你哥哥有5个苹果，你从他那儿拿走3个，结果怎样？"
>
> 　　汤姆："结果嘛，他肯定会揍我一顿！"

只取一个

　　这周的班会，数学科代表佳佳负责出一个游戏节目。只见佳佳拿出了 3 个小纸盒，纸盒上分别贴着标签：20 块巧克力，20 块奶糖，10 块巧克力＋10 块奶糖。

　　佳佳指着盒子，开口说："这是一个很简单的推理游戏，这三个盒子里分别装着 20 块巧克力，20 块奶糖，10 块巧克力＋10 块奶糖。不过，纸盒上贴着的标签，都是错的。请问，只要取出几块巧克力或奶糖，就能知道盒子里分别装着什么了？"

　　佳佳说到这里，停顿了一下，接着说："大家 4 人一组，讨论一下，每个小组上交一份答案。答对的前 3 组，将得到奖品。至于奖品嘛，就在这其中的一个纸盒里。限时 2 分钟。计时——开始！"

　　同学们都被这个新奇的游戏吸引了，顿时议论纷纷。淘气连忙对笑笑说："笑笑，快，我们要争第一，我要那盒巧克力！"

　　笑笑不由得白了他一眼："哥哥，要是你的头脑，有你的胃口那么好，就不用求我啦！"

　　同组的另外两个同学正在争论，一个说："从同一个盒子中，拿出 11 块就行。"另一个说："要最少，每个盒子都拿 1 块出来，再根据标签判断就行。"

　　笑笑眼珠一转，自信地拿起笔，写了三个字：取 1 块。

　　淘气不解地说："1 块这么少？答错了可不行！"

笑笑说："相信我，只要从'10块巧克力＋10块奶糖'的盒子里取1块，就行了。"另外两个同学想了想，表示同意。于是他们上交了答案。淘气却懊恼地说："我还是不明白呀！"

这时，佳佳宣布时间到，并且揭晓了正确答案：只要取1块！

"耶！""啊？"同学们有的欢呼，有的疑惑。

佳佳边打开写着"10块巧克力＋10块奶糖"的盒子，边说："首先，从里面取出1块。看，是巧克力！那这一盒一定都是巧克力了，对吧？"

看同学们都在点头，佳佳继续说："这么一来，写着'奶糖'的那盒，肯定不是奶糖，而且也不是巧克力，那会是什么呢？"

"10块巧克力＋10块奶糖！"这下，大家恍然大悟。

那么，写着"巧克力"的那盒是什么呢？

小朋友，如果佳佳取出的是奶糖，结果又会是怎样的呢？

🍃 图形接龙

教师节到了，二（3）班举行了庆祝活动。

首先进行的是文艺表演，同学们有的唱歌，有的跳舞，有的演小品……个个都很精彩。

表演结束后，大家玩起了游戏——"图形接龙"。

老师给每人发了一个图形，并承诺：如果能在老师摆完后，按规律正确地摆出下一个图形，就能获得一颗糖的奖励。

老师先摆了一个△和一个□，接着又摆出了相同的两个图形（如图：△□△□），有两个同学出手很快，率先接龙成功（如图：△□△□△），得到奖励；第二次老师摆了"○□△○□△"，又有三个同学顺利过关。（如图：○□△○□△○）

游戏一轮接一轮，很多同学都获得了奖励。但大家还是意犹未尽。

老师宣布："最后玩一次，接龙成功的，奖励4颗糖。"题目出来了："○△□△□○□○△"。这下，大家被难住了。

豆豆说："这组图形没有规律吧。"佳佳不同意，说："不对！你看，这里的每一组，都是由○、△、□三种图形组成的呢。"

淘气紧盯着图形，脑子里却想着那 4 颗糖。旁边的笑笑突然站了起来，说："老师，我会！"于是，笑笑便在黑板上摆出了一组图形"○△□"。

笑笑对大家说："这 3 组图形，每组都有 3 个相同的图形。从第 2 组开始，只要照着上一组图形，把第 1 个图形移到最后一个，就成了下一组图形，以此类推。"

听完笑笑的解释，同学们恍然大悟。

小朋友，你也发现规律了吗？如果让你继续往下摆，你会吗？

🖋 解救雅典娜

淘气晚上做了一个梦，梦见自己化身成圣斗士，去解救雅典娜。

雅典娜被关在了山上的一座塔里。这座塔有十二道门，门上设了机关。

淘气用了很多办法，都没能打开门。正当他束手无策时，眼前红光一闪，一位老者出现了。他告诉淘气："山脚下有座寺庙，藏着金条。只要拿到金条，根据门上的数字，把它扔进门前的水池里，门就会被打开了。"

淘气到寺庙里取了金条，回到塔前。第一道门上写着数字 2，他往水池里扔进 2 块金条，门"吱"的一声开了；第二道门上写着数字 3，淘气扔进 3 块，门又开了；第三道门上写着数字 5，淘气又扔进 5 块；在第四道门前的水池里，淘气扔进了 8 块。

走到了第五道门前，"咦，门上怎么没有数字啊？"淘气又去请教老者，老者说："别急，这些门上的数字，是按一定规律排列的，你动脑筋想想，就能打开下一扇门。"

淘气对着地上写好的"2，3，5，8"，开始冥思苦想。"我知道啦，2＋3＝5，3＋5＝8，原来是前两个数相加，等于后一个数。那下一个数就是8＋5，得13。"淘气叫了起来，随后往水池里扔了13块金条。门果然开了，淘气高兴地跳了起来。

照这个方法，淘气顺利地打开了所有的门，解救出雅典娜。

早上醒来，淘气把梦说给笑笑听。笑笑听完，对淘气说："圣斗士，还有一种规律哦。"

"还有一种？真的假的？"淘气问。

笑笑拿出纸和笔，边写边说："你看，3和2相差1，5和3相差2，8和5相差3，下一个相差几？"

"4！8＋4是12，对吧，笑笑。"

"圣斗士终于变得有智慧了！"笑笑打趣道。

小朋友，你也想到了吗？

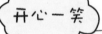

作文成绩

作文课上，老师布置了一篇500字的作文。

下课铃响了，一学生发现自己只写了250字，灵机一动，在文章的最后一行写下"上述内容×2"。

几天后，作文本发下来了，在成绩的位置上，赫然写着"80÷2"。

门牌号码

乐乐过生日，邀请淘气和笑笑到家里做客。妈妈把兄妹俩送到了乐乐家的小区门口。

淘气和笑笑打电话给乐乐："乐乐，我们到你家小区门口了，你家在几号楼？"

乐乐说："我家在11号楼。""我们到11号楼了，你住几零几？"淘气接着问。乐乐说："我不告诉你，你一家家敲门过来，一定能找到。"淘气说："开什么玩笑，快告诉我们。"

"好吧。不过，直接告诉你们，太没趣了，我可以给你们个提示哦。"乐乐笑嘻嘻地说，"我家的门牌号是个三位数，百位和个位的数字之和是9，百位比个位的数字大3，十位的数字是0。"

淘气一听，急了："臭乐乐，我们来给你过生日，你还给我们出难题。"乐乐笑着说："呵呵，今天我生日，我最大，我等着你们哦。"

淘气说："乐乐只告诉我们十位上的数字是0，百位和个位上的数字都没直接说。我们又不是算命的，笑笑，你说怎么办啊？"

笑笑倒是不慌不忙："让我想想。"

笑笑在地上画了三个格子，对淘气说："我们来填填数，看哪个数满足要求吧。"兄妹俩你一言，我一语，乐乐家的门牌号跃然格上了。

$$9$$
$$8$$
$$7$$

6	0	3

小朋友，你知道他们是怎么想出来的吗？快与小伙伴们交流一下吧！

🍃 敲诈没门

周末，阳光明媚，淘气和笑笑跟妈妈一起上街买东西。

他们沿着商业街逛，不知不觉进入了一家瓷器店。货架上的瓷器，有碟子、盘子、碗和花瓶等，品种繁多，造型美观，色彩丰富，看得淘气和笑笑眼花缭乱。兄妹俩兴奋地摸摸这个，碰碰那个。一不小心，淘气把一大叠盘子碰倒在地，盘子碎了一地。

老板闻讯赶来，说："把我的盘子打碎了，你们说怎么办？这样吧，我也不要你们多赔，就按 10 个赔吧。"

"怎么办？怎么办？"淘气又急又气，对着老板说，"这哪有 10 个，你分明是敲诈嘛！"

老板理直气壮地回答："就是 10 个，不信你们数数。"

妈妈对着碎了一地的盘子，不禁皱起了眉头。

笑笑看了看四周，发现柜子上还有一个盘子，和摔碎的一模一样，顿时有了主意。她拿过这盘子，对老板说："我有办法知道摔碎了几个。"

"那你说说看。"老板没好气地说。

"你把碎片称一下，再把这完好的盘子也称一下，用盘子碎片的质量，除以完好盘子的质量，求出商，再取整数，不就知道摔碎几个盘子了。"笑笑不慌不忙地说。

淘气和妈妈都觉得笑笑说得很有道理。于是，大家按照笑笑的办法，算出了碎盘子的个数，照价做了赔偿。

爱动脑筋的笑笑，用数学知识帮妈妈避开了老板的敲诈，真是了不起啊！

小朋友，你觉得呢？

🍃 数字王国渡船记

数字王国 1、2、5 三家族，在一座小岛上生活了很多年，它们和睦共处，互帮互助。

从小岛通往大陆，除了数字船，没有其他的交通工具。这些数字船，都只有单一的开船功能，就是一个家族的船，只能由自己家族的成员感应开启，而其他家族成员，因数字对不上船号，无法感应操作。

三家族每年都会进行一次渡船演练，没有经历过坐船渡河的成员，都要参加。

今年的演练开始了，三家族成员坐上了自家的数字船，船在前进，歌声在飘荡，场面十分热闹。

可回来时，它们接到一个新命令：这次除了要把自家的数字船安全开回之外，还要帮忙把岸边的 3、4、6、7、8、9 数字家族的船，也一并开回。

"可是我们的数字，感应不了那些数字船，这可怎么办呀？"有人提出了疑问。

经过一番思考，一个小成员站出来，说："别急，大家看，我们把 1 加上 2，不就是 3 吗？让 1 家族和 2 家族成员，手牵手上船，看看 3 号船能否感应启动。"奇迹发生了，3 号船果真启动了。大家不禁佩服起这位善于思考的小成员来。

这时，又有一个成员说："那还不简单，1 家族成员都可以组合出这些数，就让它们来吧。""可是我们来的成员不够呀！要不你们也试着组合看看。"1 家族队长说。于是，大家开始自由组合，用来启动其他的船。

只见 4 个"1"牵手，上了 4 号船；3 个"2"排队，上了 6 号船；"2"和"5"上了 7 号船；"1""2"和"5"，坐上 8 号船；两个"2"和一个"5"，启动了 9 号船。

大家顺利返回小岛，圆满完成了渡船演练。

小朋友，如果由你来指挥，你还有其他的组合方法吗？试试看。

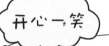

左右分开

老师出了一道题：$8 \div 2 =$？随后问："8 分为两半，等于几？"皮皮回答："0！"老师说："怎么会是 0 呢？"皮皮解释："8 上下分开等于 0！"丁丁说道："不对，应该左右分开，等于耳朵！"

万花筒

🍃 统计与战争

今天，妈妈给淘气和笑笑讲了一个关于战争的故事。

"故事发生在英国。德国攻打英国，德军实力强大，英军损失惨重，只好撤回到本岛。可是，德军还是每天不定时地对英国进行狂轰滥炸。后来，英国空军发展了起来，双方空战不断。"

"刚开始，英国飞机经常被德国士兵打落。为了提高飞机的防护能力，英国设计师们决定给飞机增加护甲。该在什么地方增加呢？设计师们并不清楚，于是求助于统计学家。"

"统计学家研究了每架中弹之后，仍然安全返航的飞机，然后将中弹部位描绘在图上，再把图叠放在一起，这样就形成了疏密不同的弹孔分布。工作完成了，统计学家很肯定地告诉设计师们：'没有弹孔的地方，就是应该增加护甲的地方。'"

　　淘气打断妈妈的话："为什么没有弹孔的地方，要增加护甲？"妈妈接着说："你们开动脑筋，好好想想。"笑笑想了想，说："是不是因为这些部位中弹了，飞机都没被打下来，说明不要紧，所以必须在没有弹孔的地方增加护甲。"

　　妈妈赞许地点点头，说："对！后来，英国军队根据统计学家研究的结论，给每架飞机都增加了护甲。果然，在以后的作战中，飞机成功穿越了德军的火线，取得了战争的胜利。"

　　淘气和笑笑听完妈妈讲的故事，不约而同地说："数学的作用可真大呀！"

　　小朋友，你也是这么想的吗？

🍃 拔河比赛

　　一天，淘气和笑笑经过数学王国，里面不断传来加油呐喊声，兄妹俩好奇地走了进去。只见，广场上热闹非凡，穿红衫的单数队和穿蓝衫的双数队，正要进行一场拔河比赛。

　　集合点名了，单数队运动员站成一排：1、3、5、7……身上的号码分外明显。双数队运动员也不甘示弱，按照身上号码：2、4、6、8……也排成了一队。

　　这时，一位圆圆脸蛋、胖胖身体，穿着白衫的运动员跑了过来。单数队的1号首先看见，忙叫："零号兄弟，快到这里来！"双数队的2号也看见了，忙喊："站我们队，零号兄弟！"零号队员不知该站哪一边才好。这时，数学大臣走了过来，大声宣布："现在，我来担任拔河比赛的裁判。"零号队员尴尬极了，问："裁判，我应当加入哪个队呀？"数学大臣这才注意到身旁的零号队员。"怎么，你还没站好队？你知道这两个队是怎么分的吗？"

　　2号运动员抢着说："是我负责分的。凡是除以我，没有余数的，像2、4、6、8……组成双数队。"1号运动员点点头，说："凡是除以

2 有余数的，像 1、3、5、7……组成了我们单数队。"

数学大臣把双数队的 2 号叫到零号身旁，说："零号，你和 2 号配合一下，让我看看，有没有余数？"

于是，广场地面上出现了一道算式："0÷2＝0"。数学大臣说："大家都看到了，0 除以 2，没有余数！"零号队员这才眉头舒展，开心地站到了 2 号前面。双数队运动员齐声欢呼："欢迎新队员的到来！"

"加油，加油！"

拔河比赛正式开始。

小朋友，如果又来个 23 号队员，你觉得该加入哪一队呢？

一百分

期末考试后，小亮回家说："这回两门考了 100 分。"

爸爸妈妈听后，都很高兴。

小亮接着说："是两门加起来 100 分。"

爸爸听了，扬手就要打，妈妈劝住说："就算语文得了 40 分，数学总该有 60 分吧，总还有一门及格嘛！"

小亮委屈地说："妈妈，不是那么算！语文是 10 分，数学是 0 分，加在一起，正好是 100 分。"

🍃 剪纸艺术 （一）   窗花

快过年了，淘气和笑笑去爷爷奶奶家提前拜年。

推开门，淘气和笑笑看见奶奶正戴着老花镜，在认真地剪着什么。兄妹俩凑过去，问："奶奶，您在剪什么呀？"奶奶抬起头见是自己的孙子孙女，亲切地说："我在剪窗花啊！过年贴在窗户上，可漂亮啦！""窗花？"兄妹俩感到很好奇。

奶奶拿出了几幅作品，给他们欣赏。（如图）

"哇，太漂亮啦！"兄妹俩不由地发出赞叹。

奶奶说："剪窗花是咱们国家民间剪纸艺术的一种，具有浓厚的民族特色。一把剪刀一张纸，工具简单，却可以剪出千变万化的样式哦。"

笑笑说："我发现，它们都是轴对称图形呀！我们在数学课上学过。"

奶奶笑着说："对呀！剪纸的神奇就在于：通过不同的折法和剪法，能获得各式各样对称的美丽图形，这些不同的对称图形组合在一起，会有一种别样的美感。"

说着，奶奶又拿出另一幅剪纸作品。（如图）

淘气和笑笑一看，哇！喜鹊登枝！"不过，它不对称呢！"淘气说。"应该是有些对称，有些不对称！"笑笑补充说。

奶奶笑着说："是啊，这对称与不对称的组合，才有不同的美呀！"

小朋友，你还见过什么样的窗花呢？

剪纸艺术（二）　　剪"囍"字

看到奶奶美丽的剪纸作品，淘气和笑笑不禁也想动手试一试。

奶奶说:"我来教你们剪一个简单的'囍'字,怎么样?"

兄妹俩欢呼雀跃,马上动手准备材料,有红纸、剪刀、铅笔和尺子。

奶奶开始一步一步地教他们俩。

小朋友,你也来一起学吧!

步骤:

一、把纸背面朝上,对折一次,再对折一次。

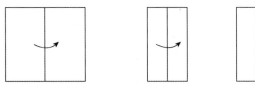

二、描"囍"字(画7个小长方形)。

1. 注意开口不能朝连在一起的左边。
2. 从右边开始，先画三个长方形。
3. 再在左边，画一个长方形。
4. 接着又是右边，画两个长方形。
5. 最后左边，再画一个长方形。

三、剪掉长方形

"最后一步，一定要细心认真哦。"奶奶提醒道，"我们从上到下，只要把画出来的7个小长方形剪掉，就可以了。"

淘气和笑笑剪完，轻轻地打开，一看，出现了漂亮的"囍"!

他们还编了一句顺口溜："右三刀，左一刀，右两刀，左一刀。"

奶奶拿着"囍"字，笑眯眯地讲起了故事："从前有个叫'有喜'的人，在进京考试途中，他巧对出一副对联，被员外家的女儿相中。考完试，正当两人拜堂成亲时，外头响起了锣鼓声，原来有喜考中了状元，主考大人亲自来接他进京。主考大人看到两位新人在拜堂后，高兴地说：'两趟喜事凑到一起了，真是双喜临门。'于是他们把两个喜字摆在了一起，就成了'囍'字。从此，人们家里有喜事的时候，总喜欢剪'囍'贴在家里，讨个吉利!"

小朋友，你学会怎么剪"囍"字了吗？快来动手剪一剪吧!

开心一笑

不知道

小明考完试回家，妈妈问考得怎么样。小明说："基本上我都会做，但有一道3乘7的题，怎么也想不出来。最后，我不管三七二十一，写了个18。"

🍃 过河

这个周末，二（3）班的家长打算自发组织去郊外游玩儿。听说，那里可以采摘无公害的水果，孩子们可高兴了。

这一天，他们很早就吃过饭，坐车到达了目的地。

难得家长们这么有空，带着孩子到处参观，孩子们像在游乐园一样，玩得不亦乐乎。

吃过午饭，一行36人准备去摘水果了。农家乐里有一条小河，果园在河的对岸。河里没有桥，只有一条能载6人的小船，而且也没有船工。这可怎么办呀？

一位家长说："我会划船，大家就放心吧！""那我们要几次，才能全部过河呀？"豆豆问。淘气想了想，说："每次能载6人过河，我们36人，只要6次就够了。""我同意，六六三十六嘛。"丁丁跟着说。"不，我看要7次，才能全部过河。"笑笑坚定地说。大家都疑惑地看着笑笑。

只听笑笑"咳"了一声，继续说："虽然小船每次能载6人，但没有船工，叔叔还要将船划回来，因此每次过河的只有5人。五六三十，6次只能过河30人。最后一次，叔叔和最后5人全部过河，所以至少要7次啊。"

大人们听了，不住地点头，夸笑笑真会动脑筋。

小朋友，现在你知道他们是怎么过河的了吗？

🍃 藏在诗里的数学

从前，有个9岁的小男孩儿，在父亲的书架上，发现了一本中国古代数学名著——《九章算术》，感到十分新奇有趣，从此迷上了数学。

　　这个小男孩儿不仅喜欢数学，而且还特别爱思考。他常常把身边的事物和数学联系起来。

　　一天，他跟随父亲，到城里的大绅士家做客。他看见墙上挂着一幅画，马上就被吸引住了。听主人说，这幅画叫《百鸟归巢》，是一位绘画高手画的。还果真不一般，人们看到画上的花，仿佛闻到花香；看到画上的鸟，仿佛听到鸟叫。画的左上角还有一首诗：一只过了又一只，三四五六七八只。凤凰何少雀何多，啄尽人间千万石。

　　小朋友，你知道诗中的数字，蕴含了什么秘密吗？

　　这个小男孩儿也注意到诗中的数字。回到家里，一直想，这些数字到底有什么用处呢？过了几天，当他翻开一本数学书时，顿时恍然大悟。他的脑海里涌现出了几个算式：

$1 \times 2 = 2$

$3 \times 4 = 12$

$5 \times 6 = 30$

$7 \times 8 = 56$

$2 + 12 + 30 + 56 = 100$

　　哦！原来这就是"百鸟归巢"的秘密啊！

　　小男孩儿长大后，经过刻苦钻研，取得了独创性的成就，最后成为一名伟大的数学家，他的名字叫李善兰。

　　小朋友，如果你想了解有关李善兰的其他故事，可以查阅资料，相信会有更多的收获哦。

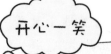

最后一名

儿子："爸爸，什么是压轴戏？"

爸爸："压轴戏就是最后演出的好节目。"

儿子："那我是班上最好的学生了。"

爸爸："为什么？"

儿子："因为每次考试放榜，我的名字总被放在最后一名啊。"

公园游记（一） 买饮料

周末，淘气、笑笑和小朋友们结伴去公园玩儿。公园里游客非常多，男女老少，来来往往，好不热闹。淘气和笑笑他们像放出笼的小鸟，跑啊，跳啊，唱啊，笑啊，开心极了。

一路玩儿下来，大家都觉得口渴，决定去买饮料喝。几个人凑了20元钱，来到小卖部。

老板说："一瓶饮料要3元钱。"

"每瓶3元，20元钱够吗？"佳佳问道。

"让我算算。"淘气说着，就在心里算了起来，算除法想乘法：三（   ）二十？

"我只知道三七二十一，没见过三（   ）二十的呀。到底可以买几瓶呢？"淘气只好求助大家。

佳佳说："20÷3，应该等于6，还余下2元才对。"

"那到底可以买几瓶，是6瓶还是7瓶？"豆豆着急地说。

"只能买6瓶。"笑笑肯定地说，"因为余下的2元，不够再买一瓶了。"

果然，老板拿了6瓶饮料，并找了2元钱给他们。

"我们 7 个人，只有 6 瓶饮料，怎么办？"佳佳说。

笑笑说："你们 5 个，一人一瓶，我和淘气一起喝就可以了。是不是，哥哥？"

淘气点头，表示赞同。拿到饮料，大家都大口大口地喝了起来。

喝着饮料，伙伴们看到湖上有人在划船，也想划一划呢。于是，他们纷纷跑到售票处，准备买票坐船。

公园游记（二）　划船

公园划船的售票处，一群大人正在排队。

"这里有双人船、4 人船和 6 人船，我们选 4 人船吧！"一个叔叔数了数人数，说，"我们一共 11 人，要租几条船呢？"

淘气一听，热情地跳出来，说："我来帮忙算！11÷4＝2（条）……3（人），只要租两条船就行了。"

"我看，得租 3 条船才够哦。"佳佳连忙说。

"是啊，小朋友。如果只租两条船，那剩下的 3 个人怎么办呢？"叔叔笑眯眯地说，"我们可不是'铁掌水上漂'啊！"大人们听了，都善意地笑了起来。

"嘿嘿，真不好意思。"淘气难为情地说："刚才我们买饮料的时候，余数不够买 1 瓶，不能算。这会儿，我还没反应过来呢。"

"唉！"笑笑捂着脸，叹了口气，"粗心大意的哥哥，这下可丢脸了吧。"

佳佳笑嘻嘻地说："淘气，要是我们去坐双人船，你说说要租几条船才够呢？如果到时座位不够，就把你留在岸上。"

淘气这下特别认真，想了想，说："7÷2＝3（条）……1（人），嗯，要租 4 条船。我自己要坐一条船哦，我也不会水上漂。"

"哈哈哈！"大家听了，都忍不住笑了起来。

"你们还是都留在岸上吧。"售票员阿姨听了，笑着说，"小朋友可不能自己来坐船哦。"

淘气和笑笑他们都失望极了："唉，来划船，怎么能忘带爸爸妈妈呢？"

小朋友，你发现这两个小故事里的算法有什么不同了吗？

哥哥的数学真好

晚餐就一个青菜，弟弟郁闷地说："怎么也得两个菜啊。"

哥哥默默无语地把这盘青菜，分别扒拉到两个盘子里，推到了弟弟的面前。

🍃 再游数世界（一）　　640 借宿

上个学期，淘气和笑笑到自然数王国参观，认识了一位数和两位数，还得到了这个王国的特别通行证。

有了通行证，只要在心里默念咒语，就能来到自然数王国。这周日，他们又到自然数王国旅行去了。

这一次，两位数 63 接待了淘气和笑笑。到了 63 家，兄妹俩发现了一个新朋友 360。63 介绍说："附近三位数住的小区要拆迁，它就暂时来我家住几天。"

淘气和笑笑刚和 360 打过招呼。"叮铃铃"，一阵急促的门铃声响起。63 开门一看，是三位数 640。"你好，640，快请进，找我有事吗？"

"不好意思，我住的小区要拆迁了，可以在你家暂住几天吗？"640 充满期待地问道。

"当然可以！"63 满口答应，接着又皱起了眉头，"可是，我家给三位数使用的桌椅、床铺等家具，只有一套，也只有一间空着的客房，都给360用了。"说着，63看了看360。

360大方地说："没事儿，你不介意的话，就来我的房间挤一挤，和我共用一套家具吧。"

"太好了，谢谢你们！"640开心极了。

午饭时间到了，360坐到三位数的椅子上，招呼640一起坐。

640往椅子上一坐，只见个位上的0叠上0，又变成0。十位上的6和4一抱，"嗖"的一声，变成一捆儿，跳到百位上。百位上，6和3刚刚变成9，后面跳上来的1叠上去，又"嗖"的一声，变成更大的一捆儿往前飞。说时迟，那时快，这一大捆儿刚刚变出来，就听"轰"的一声，椅子塌了。

63连忙叫来了家具维修工，维修工说："这张椅子最多只能承重999，超重了，自然就塌了。"

"原来是这样。那麻烦你，再帮我送一张够大的椅子来吧。"63连忙说。

家具公司很快就送来了一张四个位子连成的椅子，360和640变成了1000，一起坐在了四位数的椅子上，可舒服啦。

淘气说："你们自然数王国的规矩可真够严的。我们可得好好向你们学习学习。"

笑笑提醒道："还要定张新床，免得它们睡觉时，把床也压塌了。"

63听了，赶紧去定了一套四位数的家具，说："这下，再多来几个三位数，也能一起住下了。"（解释：10个999加起来，也没超过9999呀，所以可再多来几个三位数哦）

🖋 再游数世界 （二）　　掰手腕大赛

吃过午饭，63安排大家一起去体育馆，观看擂台赛。今天体育馆进行的是掰手腕比赛。

擂主是863，第一个挑战的是99。只见百位上的大哥8，对后面两个数字说："小弟们，对方是两位数，最高位是十位，根本用不着你们出场，我一个人就能轻松打败它。"

话音刚落，大哥8用力一掰，99整个就被压倒在擂台上了。

笑笑说："奇怪，这根本不用比呀！位数少的数，肯定比不过位数多的数嘛。"

这时，主持人上场，不好意思地说："真对不起，选手99走错比赛场地，引起了误会，请大家谅解。"

真正的较量开始了，第一个上场挑战的是692。

双方的百位大哥先出场，8一下子就赢了6，对方的6、9、2一起上，也掰不过百位的一个8。

8后头的6对3说："百位大哥赢了，就没有我们十位、个位的出场机会啦！"

第二场，863对860。两个百位大哥出场，明显是平手。

6高兴地上场了："总算轮到我啦，看我的！"不过，6和6还是平手。

个位的3和0，这才加入了比赛。只见手腕马上开始往863的方向倾斜，3个数字齐发力，"啪"的一声，863又获得了一场胜利。

最后一场，863对900。

3一看，美滋滋地说："我刚刚赢了0，这次我还是对0，太好了。"

6翻了翻白眼儿，说："别得意，得先看大哥。"

8对9，完败。6根本就不用上场，跟着8，拉着3，一起下了擂台。它边走边说："唉，大哥输了，也没有我们小弟上场的机会呀！"

"就是，你们前面的数，不管是输还是赢，都没有我们后面的数的出场机会。"3跟着嘀咕道，"小弟我想出场，只能盼着，哥哥们都跟对手打个平手啦。"

淘气看着863垂头丧气地下了场，转头问笑笑："笑笑，数的大小，是由最高位的数决定的吗？"

"哥哥，你看了半天，只明白了一半呀。"笑笑无奈地说，"比较两个数的大小，当最高位相同的时候，就得再看下一位数的大小，以此类推。后面数位的数，每一个都有它的作用哦。"

小朋友，这场掰手腕擂台赛，你看明白了吗？

五百只鸭子

　　一位男教师对吵闹不休的两个女学生说："两个女人的声音，犹如一千只鸭子的叫声。"一会儿，教师的妻子来看望他。其中一个女学生跑来报告："老师，门外有五百只鸭子来看您。"

再游数世界（三）　找舞伴

　　每个周末，自然数王国都会举办一场结对子舞会。舞会的最后，满足条件的数们可以得到礼物。淘气和笑笑也参加了一场这样的舞会。

　　舞会上，数们个个盛装打扮，在舞池里翩翩起舞。不过，它们每跳完一支舞，就要换一个舞伴。

　　淘气好奇地问："它们干嘛换来换去的啊？"

　　"我想是因为那个。"笑笑指了指服务台。

　　服务台上挂着一条横幅，上面写着——本周礼物的领取条件："您与舞伴的和大于500。"

　　笑笑接着说："我想，它们是找到满足条件的舞伴的，就去拿礼物，还没找到的，就继续换舞伴。"

　　果然，每隔一会儿，就有一对数去服务台领取礼物。淘气和笑笑跟着63、360和640也去凑热闹。

　　640先带着63，去领了一份礼物，又想和360再领一次。工作人员说："每个数只能领一次，不能多次组合。"

　　360只好另找一个舞伴。可是这时，没找到舞伴的只有20了。360想了想，带着20去领礼物，工作人员却说不能给。

360 说："360 加 20 等于 560，大于 500 呀！"

20 配合地往 360 身旁一站，喊："就是 560，该给礼物！"（如图）

$$
\begin{array}{r}
3\,6\,0 \\
+\,2\,0 \\
\hline
5\,6\,0
\end{array}
$$

工作人员瞄了一眼，冷笑一声，说："20 站错位置了。想蒙我，没那么容易。"

淘气仔细瞧了瞧，小声地说："已经对齐了啊。"

"2 应该和 6 对齐才对。"笑笑低声告诉他。

"为什么？"淘气不解地问。

"因为 20 的'2'在十位上，要和 360 十位上的'6'对齐。对齐的应该是相同数位上的数呀。"笑笑解释道。

淘气想了想，似乎有点儿明白了。

笑笑又说："相同数位没对齐，3 个百加 2 个十，怎么会得到 5 个百呢？"

淘气问："那么 360 要去找谁做舞伴，才能拿到礼物呢？"

小朋友，你赶紧帮 360 找个舞伴吧！

✐ 质量单位"千克"的由来

吃过晚饭后，淘气和笑笑缠着妈妈讲有关质量单位的由来。

妈妈打开话匣说："自古以来，各个国家采用过不少名称不同的质量单位，如英、美两国采用的'磅'，英国的'盎司'，以及我国采用过的'市斤''两''钱'等。可是，国与国之间要做生意，就必须统一单位。你们知道现在各国普遍采用的国际质量单位是什么吗？"

淘气说："老师说过，'千克'是通用的质量单位，'斤'是在咱们国家民间使用的，要换算成'千克'，2 斤＝1 千克。"妈妈赞许地点点头。

笑笑接着问："妈妈，一两是古代成年人一口的粮食，那'千克'呢？它又是怎么来的？"

妈妈笑着拿出了一本书，说："书上是这么记载的：1889 年，第一届国际计量大会上，批准设立了千克原器，并宣布以它为标准质量单位。这个实物标准件，规定了 1 立方分米的纯水质量是 1 千克，并用铂制作了标准千克原器，现保存在法国档案局。（如图）"

"到了 1960 年，第十一届国际计量大会上，通过了国际单位制，质量单位名称为'千克'，代号为'kg'。"

"哦，原来'千克'是这么来的，妈妈好厉害，懂得真多。"淘气和笑笑不约而同地竖起大拇指。

小朋友，如果你有兴趣，也可以查查相关的资料哦。

开心一笑

等车

"爸爸，4 路车来了！""傻瓜，那不是 4 路，是 31 路！""老师说，3＋1＝4！"小男孩儿理直气壮地说。

阿凡提智斗国王（一）　找珍珠

一天，淘气和笑笑突然发现自己站在一条陌生的大街上。兄妹俩正奇怪呢，就看见一个士兵，拦住了一个骑着小毛驴的人，说："阿凡提，国王请你进宫。快跟我走吧！"

"难道我们来到了阿凡提的世界？"笑笑大呼，"怪不得他们的服装这么奇怪。哥哥，走，咱们去看看阿凡提。"

笑笑拉着淘气，跑到阿凡提的跟前，招呼道："阿凡提，你好！"

"你们好，小朋友！你们是谁呀？"阿凡提问道。"我叫笑笑，这是我哥哥淘气。在我们那里，你可是大名鼎鼎的人物呢！"笑笑说。

淘气连忙接着说:"是呀,你运用聪明才智行侠仗义,巴依老爷对你恨之入骨了吧!"

"呵呵,看来你们对我很了解呀!"阿凡提笑着说,"你们跟我一同进宫看看吧,怎么样?"淘气和笑笑高兴地答应了。

来到王宫,国王严肃地说:"阿凡提,大家都说你很聪明。既然这样,我来考考你。你能答出来,我就恕你无罪;要是答不出来,我加重处罚。"

然后,国王让人拿来了三个盒子,对阿凡提说:"这三个盒子,只有一个里面放着珍珠。盒子旁都写着一句话,但只有一句是真话,现在,你把放珍珠的盒子找出来吧。"

阿凡提走上前去,看了看这三个盒子。(如图)

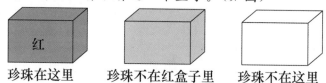

珍珠在这里　　　　珍珠不在红盒子里　　　珍珠不在这里

他看完盒子旁的字,略一思考,马上就指出了放珍珠的盒子。在场的国王和大臣,一个个都惊讶得半天说不出话来。

淘气和笑笑亲眼见识了阿凡提的聪明才智,更加崇拜阿凡提了。

小朋友,你知道珍珠藏在哪个盒子里了吗?

🍃 阿凡提智斗国王 (二)　　只称一次

阿凡提正要带着淘气和笑笑离开,"慢!"一个大臣拦住了阿凡提,"陛下可没说只考一个问题,还有一道题呢。"

一听这,淘气和笑笑都很气愤,可阿凡提摸摸胡子,微微一笑,说:"请出题吧。"

仆人很快搬上来10堆袋子。大臣介绍说:"这些袋子中都装着豆子,其中9堆,每袋1斤重;只有1堆,每袋9两重。你说哪堆是每袋9两重的呢?"

阿凡提说："很简单啊，称一下就知道了。"

国王接过话说："既然你说称'一下'，那我就让你称，记住：只能称一次。"仆人很快又拿来了秤。

"这题也太难了。"淘气和笑笑暗暗为阿凡提捏了把汗。

可阿凡提已经气定神闲地指挥开了："从第一堆取1袋豆子，第二堆取2袋……第九堆取9袋，第十堆不用取。好了，把这些袋子放一起称吧。"

"一共是44斤6两。"仆人很快称好，报出了总重量。（说明：一斤按10两算）

"我知道了。"阿凡提摸着胡子，慢慢走到第四堆豆子前面，指着说，"这堆豆子每袋9两重。"

"这么快？"国王和大臣们面面相觑（qù）。

仆人立刻上前取袋子称，果然，每袋都是9两重。

"太厉害了！"淘气和笑笑激动地鼓起掌来。

"真棒！你是怎么做到的？"笑笑问道。

"很简单啊！"阿凡提说，"从1到9，一共取了45袋豆子，本来应该45斤。可称出来是44斤6两，缺了4两，说明有4袋豆子是9两的。所以9两的豆子是从第4堆中取出的。"

"现在，我可以走了么？"阿凡提摸着胡子，笑着问国王。

国王和大臣听了，哑口无言，只好让他们离开了王宫。

小朋友，如果仆人称出的重量正好是 45 斤，那每袋 9 两重的豆子，是哪一堆呢？

数不清

老师："你说说我们国家有哪些数学家？"

学生："数不清。"

老师："对，苏步青是一个，还有呢？"

🖊 阿凡提分铜币

阿凡提带着淘气和笑笑从王宫出来，牵上心爱的小毛驴，邀请兄妹俩到家里做客。快到家时，远远就看见家门口站着一高一矮的两个人。

"阿凡提回来啦！"那两个人都迫不及待地跑过来，请阿凡提为他们算算，五个铜币该怎么分。

阿凡提笑着说："呵呵，两位先生，我还不知道是怎么回事，怎么为你们算呀？"

于是，俩人你一句我一句地说了起来。最后，阿凡提总算把事情弄清楚了。原来这两个人在一起干活，高个子扎伊带了 3 块饼当午餐，矮个子哈里带了 2 块饼。中午，来了一个过路人，请求一起吃饭。于是，他们把饼合在一起，每个饼都平均切成 3 块，大家分着吃了。临走时，过路人留下了 5 个铜币，当作饭钱。

可 5 个铜币该怎么分呢？扎伊说，他带了 3 块饼，该拿 3 个铜币；哈里带了 2 块饼，只能拿 2 个铜币。可哈里却觉得，大家吃的午饭都一样多，铜币也应该平分，每人拿两个半铜币。两人争来争去，还是不知道该怎样分。

阿凡提问身边的淘气和笑笑："孩子们，你们知道这5个铜币要怎么分吗?"

淘气说："我同意扎伊的说法，他出的饼多，分3个铜币，这很公平啊。"

"你觉得呢，笑笑?"阿凡提又问。

笑笑想了想，说："我觉得没这么简单，但又想不出来。"

"呵呵，这好办!"阿凡提笑着说。

然后，他给了哈里1个铜币，扎伊4个铜币。在场的人都惊呆了。

小朋友，你知道阿凡提为什么会这样分吗?

那我们就来听听，阿凡提是怎么说的吧:

"三人吃的一样多，5个铜币是一人的饭钱，他们一共的饭钱就是5×3＝15个铜币。这顿饭共吃了5块饼，那么1块饼的价钱，应该是3个铜币。"

"哈里出2块饼，按钱算是6个铜币，扣掉饭钱5个铜币，所以他应得1个铜币。"

"扎伊出3块饼，按钱算是9个铜币，也扣掉饭钱5个铜币，所以他应得4个铜币。"

扎伊和哈里听了，都很信服，高高兴兴地走了。

淘气和笑笑听了，不得不再次佩服阿凡提的聪明才智。

小朋友，你明白了吗?

✍ 一元钱哪儿去了

听说数学实习老师后天就要回去了，淘气和笑笑很伤心，因为老师对他们可好了。最先发布消息的是豆豆，他俩不相信，一起去找豆豆核实。豆豆说是在老师办公室里听到的，千真万确!

"老师就要走了，我们要怎样表示呢?"淘气着急地说。豆豆想了想，说："咱们三个人一起买个礼物，送给老师吧。""这主意太好了！"笑笑拍手赞同。"那买什么呢？什么时候买？"淘气迫不及待地问。"放学后，咱们一起去学校旁边的礼品店看看。"笑笑办事向来利索。

放学后，他们来到礼品店。"买个杯子吧，上次，我看到老师的杯子打碎了。这几天，老师都没端水杯了。"淘气指着一个精致的保温杯说。

大家觉得这个主意好，一看价钱是30元。于是他们一人拿出10元钱。店阿姨收下钱，微笑着说："今天店里优惠，只要25元，找你们5元。"

拿着这5元钱，豆豆问："怎么办？""分了吧。"淘气不假思索，脱口而出。机灵的笑笑说："这钱分不了。要不这样，一人分1元，余下的2元钱，买一张包装纸，回去包装一下吧。"

回家的路上，淘气嘀咕着："咱们一人花了9元钱，'三九二十七'，就是27元；又买了2元的包装纸，一共花了29元。还有一元钱，哪儿去了呀？"豆豆也说："是呀！怎么会少了1元钱呢？真奇怪！"

小朋友，你知道这1元钱哪儿去了吗？

原来，27元里面，就含有买包装纸的2元，再加上每人分的1元，刚好是30元。

小朋友，你说是吗？

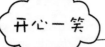

苹果里的数学

木良："妈妈，5—1等于多少？"

妈妈："你拿5个手指，减去1个，是多少呢？"

木良："……这……5个少1个……不知道！"

妈妈："家里有5个苹果，妈妈吃掉1个，还有几个？"

木良"哇"的一声哭了起来："妈妈有苹果，不给我吃，我要吃苹果，我要吃苹果……"

🍃 松鼠宝宝和花生

松鼠妈妈有三只松鼠宝宝。这一天，松鼠妈妈哄宝宝们睡午觉，答应给它们准备一些花生，睡醒了吃。宝宝们乖乖地睡了。松鼠妈妈把一盘花生放在桌上，就出去了。

松鼠大哥睡了一会儿，就醒了，它看到桌上的花生，就把它们平均分成3份，吃掉了其中一份，又接着睡了。

过了一会儿，松鼠二姐也醒了。它不知道大哥已经吃过了，也把花生平均分成3份，吃了自己的那份，又睡了。

最后，松鼠小弟醒了。它以为自己是第一个睡醒的，就把桌上的花生平均分成3份，吃了其中的一份。

这时，大哥和二姐都醒过来了。松鼠小弟说："哥哥姐姐，快来吃花生，可好吃啦！"松鼠大哥和二姐异口同声地说："我吃过啦！"接着它们三个叽叽喳喳地，把自己怎么吃花生，都说了一遍。

最后，三只小松鼠看着剩下的8个花生，不知如何是好。因为平常宝宝们很友爱，有东西都是平均分着吃的。可是，这8个花生该怎么分呢？

这时，松鼠妈妈回来了。它问清了事情的经过，微笑着说："乖宝贝，仔细想想，你们分别吃了几个花生，原来一共有几个花生，就能知道该怎么分了。"

松鼠宝宝一起计算，很快就分好了剩下的花生，大家吃的都一样多。

小朋友，你知道该怎么分吗？给你个小提示，可以用倒推的方法思考哦。（如图）

松鼠小弟醒来时桌面上的花生数：

最后剩8个　　　　　　　　　　小弟吃了4个

你也试着画一画吧，相信很快就会知道答案了。

诚信经商

淘气和笑笑的大姨家在永泰，家里种了很多李子树。每年李子收成后，大多被加工成李干。淘气和笑笑可爱吃这酸酸甜甜的李干了。李干上市时，一到周末，兄妹俩就吵着妈妈，要去大姨家。

这一天，淘气一下车，就扑向大姨："我好想大姨啊。""真乖！让大姨抱抱，看看重了没有。""大姨，淘气是想吃李干。"笑笑说道。"臭笑笑，你真坏。"笑笑朝淘气吐了吐舌头。

"没事儿，想大姨也好，想李干也好，来了就好。我和你妈妈说说话，你们帮阿姨把剩下的李干，包装好，记着一袋装1千克哦。"

大姨拉着兄妹俩，走到桌旁，边示范边说："像这样，多了拿出来，少了添进去。天平左边已经放着1千克的砝码了，只要右边是1千克重的李干，天平就会平衡。""知道了，我们会了。"兄妹俩回答道。

兄妹俩一个负责装，一个负责称，多还少补，很快就称好了8袋。称到第9袋时，李干不够了，笑笑把袋子一放，找大姨去了。淘气以为称好了，袋口一封，9袋李干放到了一起。

笑笑和大姨回来了，问淘气："最后那袋李干呢？""怎么啦？我都封好口，放在一起了。"淘气得意地说。"最后一袋还差一点，不到1千克。"笑笑着急地说。

大姨认真查看了一番，说："这9袋都差不多，根本看不出哪袋少一些。但是我们做生意，要讲诚信，所以一定要找出少的那一袋，给它补上。"

"可究竟哪袋少了呀？"淘气小声嘀咕着，"要不，我们重新称好了。"

"有了，我只要用天平称两次，就能找出来。"淘气的一句话，提醒了笑笑。"不会吧，只要两次？"淘气一头雾水。

小朋友，你知道怎么称吗？

只见笑笑拿掉天平上的砝码，把9袋李干分成3组，每组3袋。在天平两边各放上1组。接连称了两次。（如图）

①②③　　④⑤⑥　　　⑦　　　　　　⑧

笑笑指着翘起的托盘，说："就是它！这包李干不到1千克。大姨。"说完了，又补充一句："如果两次都是平衡的，少的就是最后一袋哦。"

小朋友，如果第一次天平就不平衡，你知道怎么找出少的那一袋吗？

开心一笑

5+1

老师教丫丫做算术："丫丫，5加1得多少？"丫丫想不出来。

老师提示说："假如我给你5块巧克力，然后又给你1块，这样，你就有几块巧克力了？"

"7块！"丫丫不假思索地答道。

老师皱了皱眉头，说："7块！老天，你是怎么得到那1块的呢？"

"昨天妈妈刚给我买的！我还放在家里，没舍得吃呢。"

板块三

体验岛

分饼——变6份

周末，淘气和笑笑到表姐家玩儿，表姐湘湘还请来了 3 个同学，她们在家里跑来跑去，玩儿得不亦乐乎。

一会儿，姑姑拿出一盒饼，招呼大家吃。可饼只有 5 块，6 个人怎么分呀？大家你看看我，我看看你，想不出办法来。湘湘跑去问妈妈："妈妈，我们 6 个人，才 5 块饼，不够分，你再给我们拿一块吧。"妈妈笑着说："宝贝，只剩这一盒了，你们拿小刀切一下吧。互相让着点儿，别吵哦。"

小朋友，你知道该怎么分吗？

只见笑笑盯着饼，看了好一会儿，还在客厅踱起步来。

突然她灵光一闪，"有了！我来！"

笑笑接过湘湘手中的刀，先将 3 块饼都对半分，这样就有 6 个半块饼，一人分半块。接着，将剩下的两块饼，每块都平均分成 3 份，一共也分成了 6 份，一人拿其中的 1 份。这样 6 个人都分到一大一小同样的两块，吃得一样多。（如图）

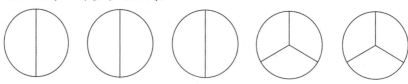

湘湘看着分饼的过程，不由地说："原来这样也算平均分啊。"

小朋友，你还有什么分法吗？

巧分蛋糕

周末是佳佳的生日，她邀请了小伙伴一起来庆祝生日。

这一天，小伙伴们带着礼物如约来到，佳佳可开心了。中午，爸爸妈妈捧出了生日蛋糕，只见正方体蛋糕上铺着一层松软的鲜奶，还有草莓、菠萝和猕猴桃一些水果装点着，可诱人了。大家一起拍掌唱生日歌，小寿星还默默许了个愿。

"切蛋糕咯！"小伙伴欢呼着。

妈妈问："这里一共有8人，该怎样切好呢？"

"我会！"豆豆说着，在蛋糕上比划起来。（如图）

淘气也不甘示弱："我也会。"他拿手指蘸着水在桌面上画了起来。（如图）

一旁的丁丁与海海，也学着淘气的样子画自己的方法。（如图）

佳佳爸爸看着笑了："孩子们，你们真聪明，居然想出了这么多分法。佳佳，你来决定怎么切吧！"佳佳选了豆豆的方法，切好了蛋糕，分给大家。

这时，笑笑拿出了一个盒子，说："佳佳，这是奶奶一早做的黄米糕，可好吃了，送给你。"笑笑边打开盒子，边说："其实我还想到一种分法，只要3刀哦。"

在场的人听了，都感到很惊讶。"只要3刀，就能分成8块吗？"

"笑笑，你该不会是在吹牛吧。"……

只见笑笑在半层处横切一刀，黄米糕分成了两层，接着在上面横竖又各切了 1 刀（如图）。

"大功告成!"笑笑洋洋得意地坐下来,吃起了自己的那块蛋糕。

寿星佳佳带头鼓起了掌,大家都夸笑笑不愧是"智多星"。

小朋友,你的想法跟笑笑的一样吗?

开心一笑

早知道

奶奶:"1+2 等于几?"孙子:"3。"

奶奶:"答对了,奖励你 3 块糖。"孙子:"早知道是这样,我就说等于 5 啦!"

🍃 排队的学问

淘气和笑笑所在的学校,建校快十周年了。学校准备举行一个庆祝活动。

他们所在的二(3)班接到了任务,将和二(4)班合作,进行武术操表演。

按照学校的要求,老师开始选人了。结果,二(3)班选了 49 人,二(4)班选了 42 人。淘气和笑笑都如愿以偿地被选中。想到校庆那天,将有许多人来观赏表演,兄妹俩都兴奋得不得了。

第二天,大家打算到操场排队形。黄老师走进教室,对大家说:"咱们两个班一共选了 91 人。学校要求每队 7 人,大家想想,可以排几队呢?"

同学们议论开了:"这应该用除法计算吧!""是啊,用 91÷7 就能算出来了。"有人赞同。"可乘法口诀表中,最大是'九九八十一'。现在有91人,该怎么算呀?"有同学提出了疑问。大家一时不知如何是好。

碰到问题,笑笑可是最爱动脑筋了。她看到二(4)班同学排队从窗前走过,突然站起来,说:"我知道,我知道!""你知道什么了?"淘气拉了拉笑笑的衣角,示意她赶紧坐下。

老师微笑着说:"笑笑,你有什么话要说?""老师,咱们两个班可以分开排啊。(4)班同学下楼了,他们先排,每队7人,六七四十二,他们排6队。我们班自己排,七七四十九,我们排7队,这样一共就是13队咯。"笑笑说完,所有同学都恍然大悟,不约而同地鼓起掌来。黄老师也竖起了大拇指,称赞笑笑能灵活运用知识解决问题。

果然,他们的武术操队伍,就是按照笑笑的方法排成队形的。

小朋友,你还有其他的排法吗?

🍃 巧算二十四点

　　最近，淘气和笑笑迷上了刚学会的"算24点"游戏。这个游戏是利用扑克牌进行的，可以两人一组，每人出2张牌，用加、减、乘、除（可加括号）把牌面上的数算成24。每张牌必须用一次，而且只能用一次，先算出结果的获胜。

　　放学一到家，兄妹俩就迫不及待地玩儿了起来，还邀请了爸爸来观战。游戏开始，首先亮出的牌分别是"3、7、3、9"。毕竟是第一轮，他俩都特别紧张，一会儿功夫，淘气激动的叫声，打破了紧张的气氛。"结果出来了，$3 \times 7 + 3 = 24$。"听完淘气的算法，笑笑哈哈大笑："不是每张牌必须用一次吗，你的'9'没有参与哦。"淘气没有吃透游戏规则，这一轮笑笑胜出。

　　"重来，谁怕谁啊！"淘气铆足了劲儿。无巧不成书，这回他们抽出的牌还是"3、7、3、9"。刚吃了回亏，淘气不敢疏忽了，牢记游戏规则，结果出人意料，兄妹俩竟然异口同声地说："我会算了。"无法断定胜负，怎么办呢？一旁观战的爸爸提议："你们分别把自己的想法写在纸上，一起亮答案。"结果俩人都写着"$3 \times 7 + 9 \div 3$"。

　　第二轮，兄妹俩打了个平手。

　　尝到了胜利滋味，淘气信心大增。新一轮亮出的牌是"4、8、2、6"。笑笑不愧是智多星，没两下就有了答案：$8 \div 4 = 2$，$2 + 2 = 4$，$4 \times 6 = 24$。淘气败下阵来，爸爸安慰着淘气："其实你们俩都很聪明，只是淘气慢了半拍而已。"

　　爸爸告诉淘气和笑笑，算24点游戏是一个益智健脑的活动。他还教给兄妹俩几种常用的方法：（1）把4张牌用简单的加减法凑成24；（2）利用乘法口诀"三八二十四"、"四六二十四"来算，如果看到"3"，就要想到用其他的3张牌算出"8"，看到"6"，就要想怎样利用其他的牌算出"4"。如：拿到"4、8、2、6"后，可以想：有了"4"，将"8、2、6"凑成6；有了"6"，将"4、8、2"凑成4；有了"8"，将"4、2、6"凑成3，等等。

兄妹俩掌握了爸爸说的方法后，算24点越来越快了。

小朋友，你也有算24点的好方法吗? 记得，要和同学们一起交流哦!

物不知其数

淘气正在玩拼图，突然听到笑笑大声念着："今有物不知其数，三三数之剩二，五五数之剩三，七七数之剩二。问物几何?"

"你在看什么? 听起来怪怪的。"淘气问。

笑笑说："一道非常有名的古代数学题。书上还有解释：有一些物品，不知道有多少个，只知道将它们三个三个地数，会剩下 2 个；五个五个地数，会剩下 3 个；七个七个地数，也会剩下 2 个。这些物品的数量至少是多少个?"

淘气听得一头雾水："不知道，你会解答吗?"

笑笑说："书上介绍了一种'大衍求一术'，也就是被当时的外国人叫做'中国剩余定理'的方法。不过我也看不懂。据说这个方法在推广了 500 多年后，西方人才发现这类问题的解题规律……"

淘气说："别扯远了，快告诉我到底该怎么解决呢?"

笑笑想了想，说："其他方法都不会，我们试试用列举法吧。"说着，拿出纸和笔，边说边写了起来："3 个 3 个数，剩 2 个的数有：5，8，11，14，17，20，23，26，29，32……"

"5 个 5 个数，剩 3 个的数有：8，13，18，23，28，33，38……"

"7 个 7 个数，剩 2 个的数有：9，16，23，30，37……"

"我们要多写几个，然后找找，有没有相同的数。"

"有啊，你看，23！"淘气难得机灵了一回。

"对，23 同时符合这三种数法，这 23 就是最少的一种可能。如果继续写，也许还有更大的数也符合呢。不过，这种方法不能列举太多，只能解决这种数量较小的问题。"笑笑说。

淘气说："妹妹，这么有难度的数学题，你都能解决，已经很厉害啦。你真是我的偶像啊！"

小朋友，只要开动脑筋，相信你也行的！

为难小学生

父亲眼睛不太好使，填表时，便让儿子帮着念身份证号码。可小家伙儿看了半天，都没念出来。父亲纳闷了，问道："不是都会加减法了吗？怎么连数字也不会念呢？"

儿子急了："您这不是为难我吗？老师只教了一千以内的数，可身份证位数这么多，我又没有学过，怎么念？"

森林抓捕行动 （一）

大森林的后山上住着几只狐狸。最近，它们都没有抓到猎物，饿得两眼发晕，四肢无力。这天，狐狸们听到了一个好消息：鸡和猎狗明天会到山脚下玩，它们一共有 11 只。狐狸们想从猎狗手中抓几只鸡来填饱肚子，于是便找狼合作。狼也听说了这个消息，还知道鸡比猎狗多5只。它马上就答应和狐狸合作。

"这下，我们可以美餐一顿了。"狐狸和狼聚在一起，高兴地说。"可是，我们一定要避开猎狗，专门抓鸡，不然会有伤亡的。"领头的狐狸胡克提醒道。

"是，是!"大家点头说道。

"那到底有几只鸡，几只猎狗呢? 我们还是来算算吧，这样才好制定行动方案。"胡克接着说。

"对呀! 咱们好好算算。"

可是，大家左思右想，都算不出来。这时，胡克得意地清了清嗓子，说:"还是我来算吧，有8只鸡，3只猎狗。"

"是吗? 你是怎么算的呀?"狼和其他狐狸一头雾水。

"鸡比猎狗多5只，总数11减掉5，剩下的鸡和猎狗就一样多了，共11−5=6（只），再把6平均分成2份，即6÷2=3，猎狗有3只，那鸡就有3+5=8（只）咯。"胡克自信地说。

大家听完胡克的解释，个个似懂非懂地点点头。

胡克转了转眼珠子，又说:"既然猎狗有3只，我们就派3只狼把它们引开，剩下的人手都去抓鸡。"

"好主意!"狐狸和狼分配好任务，第二天就开始行动了。

小朋友，鸡和猎狗分别有多少，你还有其他算法吗?

🍃 森林抓捕行动 （二）

第二天，正当鸡和猎狗在山脚下玩时，突然从树后跳出 3 只狼，向鸡群扑去，猎狗连忙反击，鸡们吓得直叫"救命"，一时间鸡飞狗跳，乱成一团。

狼和猎狗们缠斗着，越跑越远。这时，树后又窜出了几只狐狸和狼，"这下你们跑不了啦！哈哈……"

在这危急关头，天空中突然响起一阵鸣笛声，一只云雀从空中掠过："一级警报！一级警报！3 号地区发生恶性绑架事件，请附近警员立即前往救援！"云雀在空中来回鸣叫着。

听到警报，附近的狗警员和熊警员立刻赶来。看见来了这么多的警员，狐狸和狼落荒而逃，可是它们发现，四周都被警察包围了。于是，它们只好躲进后山的山洞中。

狼和狐狸躲在漆黑的山洞深处，害怕极了。这时，外面又传来了云雀的叫声："所有警员全体出动，包围后山，一个罪犯也不能放跑。"紧接着，它们听到了一阵狗吠熊嚎的声音。

"我们被包围了。"狐狸胡克强打起精神，问："谁知道外面到底有多少警察？狗警员和熊警员分别有多少？搞清楚这些问题，我们才好想突围的办法啊。"

"我知道，森林警局中除了一只侦察兵云雀，一共有 20 只警员。"一只狼说。

"我知道，警局中的警员就只有狗警员和熊警员。而且狗警员历来都是熊警员的 3 倍。"另一只狼补充说。

"那还是不知道狗和熊分别有多少呀。"一只小狐狸烦恼地说。

"没关系，我已经知道了，5 只熊警员，15 只狗警员。"胡克肯定地说。

"你是怎么知道的？"狼问胡克。

"狗警员是熊警员的 3 倍，我们把熊警员看成 1 份，狗警员就是 3 份，总共 4 份，20 平均分成 4 份，每份是 5，所以熊警员有 5 只，狗警员有 15 只。"胡克得意地说。

接着，胡克又叹了口气，说："这么多警察，而且力大的熊警员和鼻子灵的狗警员都很多，几乎没空子可钻。不如我们分头逃跑吧。希望大家运气好点儿，不会被抓到。"

说完，胡克把狐狸同伴叫到一边，小声地说："这次太危险了，我们恐怕凶多吉少。不过，狼的只数是我们的 3 倍，到时只要让狼冲在前面，吸引警察的注意力，我们还是有机会偷偷溜掉的。"

看见狐狸们围在一起，小声嘀咕，狼首领皱着眉头说："这些狐狸太狡猾了，不知道又在搞什么鬼？"

"老大，不用怕，我们比它们多 4 只呢！怕什么！"一只小狼自信地说。

这时，一个小小的黑影，悄悄地从不远处的洞顶掠过，偷偷飞出了山洞。

小朋友，你知道它是谁吗？你觉得这群狐狸和狼能逃脱吗？

🍃 森林抓捕行动 （三）

山洞外，森林警局的 20 名警员，已经把整个山洞包围起来了。

狗警长福斯正对着洞口喊着："里面的狼和狐狸听着：你们已被我们包围了，赶快放下武器，出来投降！"

熊警员壮壮问："警长，您知道里面分别有多少只狼和狐狸吗？"

"还不太清楚，不过我已经派云雀前去打探了。"福斯回答道，"等得到了具体消息，我们就行动，绝不能放跑任何一只。"

这时，云雀飞过来报告："我已经打探到消息了。"

"太好啦，快说！"壮壮着急地说。

"洞里很黑，它们藏得很深，我不敢太靠近。不过，我还是听到了它们的对话：狼的只数是狐狸的 3 倍，而且，狼比狐狸多 4 只。"

"这有什么用？我们得知道狼和狐狸分别有几只啊！"壮壮叫起来。

"别急，我知道有多少。"福斯想了想，说，"狐狸有 2 只，狼有 6 只。"

"警长，您太厉害了！您怎么知道的？"壮壮崇拜地问。

"这很简单嘛！狼的只数是狐狸的 3 倍，把狐狸看成 1 份，狼就是 3 份；狼比狐狸多 2 份，多了 4 只，那一份就是 2 只。所以狐狸有 2 只，狼是 6 只。"福斯耐心地解释着。

很快，福斯安排了详细的作战计划，指挥警员们冲进了山洞。

由于福斯的周全部署，狼和狐狸终于被一网打尽了。

小朋友，你发现了吗？学好数学，可以帮助我们解决生活问题哦。

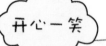
开心一笑

几条鱼

一天，丹尼出去钓鱼，直到天黑才回来。妻子问："你今天钓到了几条鱼？"丹尼说："钓到 9 条没尾巴的，8 条半个的，6 条没头的。"妻子感到莫名其妙。丹尼究竟钓到了几条鱼呢？

丹尼一条鱼也没钓到。原来 9 字去掉尾巴是 0，8 字的一半是 0，6 字去头也是 0。

🍃 读还是不读

周末，妈妈带着淘气和笑笑去参观森林博物馆。

　　来到森林博物馆，他们看见门口有一个牌子，上面介绍了博物馆的基本情况：博物馆共四层，建筑面积为 3865 平方米，占地面积为 2040 平方米，外观创意为"记忆的年轮"。

　　妈妈建议淘气和笑笑把上面的内容读一读。

　　淘气抢先读起来，把 2040 读成"二千零四十零"。

　　妈妈听了，笑着说："淘气，你读错了。"

　　"明明是这样读的呀。"淘气不服气地说，"老师说过，千位上是几，就读几千。妈妈您瞧，2 在千位读'二千'，百位 0 就读'零'，4 在十位读'四十'，个位还是个 0，也读'零'。连起来就是'二千零四十零'，没错啊。"

　　笑笑凑上来，看了看说："中间的 0 要读，末尾的 0 不要读，应该读作'二千零四十'。"

　　妈妈赞同地点点头。

　　一旁的淘气，更加糊涂了："不都是'0'嘛，为什么一个要读，另一个却不读呀？"

　　"一个数中间的 0 要读，不过无论是 1 个 0，还是连续几个 0，都只读 1 个零，而末尾的 0 都不读。"说完，笑笑像个小老师似的，继续教淘气。

　　她指了指旁边标识牌上的数"3500"，说："3 在千位读'三千'，5 在百位读'五百'，2 个零在末尾都不读。所以这个数读作：三千五百。"

　　然后，笑笑又指着"4008"，说："这个数读作'四千零八'，4 在千位读'四千'，中间连续 2 个零，只读一个零，8 在个位就读'八'。"

　　淘气听完，有点儿明白地点点头。

　　参观了一上午，兄妹俩都饿了。妈妈准备了他们最爱吃的寿司和芒果布丁，作为午餐。

　　打开食品盒，兄妹俩看见寿司上"写"着一个数："520"，原来是妈妈用煮熟的红豆，精心拼成的。

　　淘气急忙说："这个数读作'五百二十'。"

　　妈妈开心地说："没错，淘气的数学最近有进步了！不过，在数学理解之外，这个数还有另外一层好玩儿的意思，那就是'我爱你'！"

说完，妈妈温柔地拥抱了淘气和笑笑。兄妹俩幸福地享受着妈妈准备的美味午餐，盒里盛的是妈妈满满的爱。

错用估算

周末，佳佳约了几个好朋友，一起去"三坊七巷"玩儿。

佳佳说："这次数学考试，我得了 100 分，爸爸奖励了 100 元钱。我请大家喝饮料吧。"说着，就带大家来到卖鲜榨果汁的店铺。

笑笑说："哇，鲜榨果汁！佳佳，你今天可真大方！"

"大家别客气哦！"佳佳接着对老板说，"老板，给我们 9 杯果汁。"

"好的，一杯 11 元，请先付钱。"

"那一共多少钱呀？"淘气问。

"11×9 呗。"豆豆说。

"11×9？没学过呀！"淘气发愁了。

"可以大概算一下。"笑笑说，"11 接近 10，10×9 是 90，给老板 90 元吧。"

佳佳拿出 100 元，叫老板找 10 元。

老板笑着说："小朋友，你们算错了吧。"

"没错啊，11 接近 10，9 杯就是 90 元。"淘气大声回答。

"哈哈！"老板笑了，"小朋友，这不是在做数学题啊。估算算的只是大约，可你们给我的钱却不够啊！"

笑笑拍了一下脑袋，说："我明白了，估算不是准确地算。老师讲过，生活中有时不能用估算。"

"不能照搬书本知识，对吧？"佳佳紧接着说。

"对啊。"老板接过话说，"如果我把 9 看成 10，算出来是 110 元，你们同意吗？"

大家都不好意思地低下了头。

"那我们一共要付多少钱呀？您说吧。"

"一共是 99 元。"看孩子们这么懂事，老板很高兴地说。

佳佳付了钱，大家拿着鲜榨果汁，大口大口地喝了起来。

开心一笑

对不起

一天，汤姆一边走路，一边低头想事情。突然撞到一棵树上，他头也没抬，对着树鞠躬说："对不起!"路人见了，哈哈大笑。

🍃 抽牌游戏

这天，在课上，老师教同学们用扑克牌玩"抽牌组数"游戏。游戏规则是：(1) 每人拿一种花色，从 A 到 9 共 9 张牌，把它们打乱，反扣在桌面上。(2) 每人从自己的牌中抽 4 次，组成一个四位数。每次抽出一张牌，决定放在哪个数位上后，不能反悔变动。(3) 谁组成的四位数大，谁就胜。

放学一回到家，淘气和笑笑就玩起了刚学的游戏。

游戏第一轮由笑笑先抽牌，她抽到"5"，就把"5"放在了十位上；淘气抽到"4"，也放在了十位上。

第二轮，笑笑抽到"1"，她果断地放在个位上，淘气抽到"5"，把它放在了百位上。

第三轮开始了，笑笑抽到了"8"，心里一阵窃喜，心想："我要把'8'放在什么位上，比较好呢？如果放在千位上，万一淘气抽到'9'，我不是必输无疑，可是如果放在百位上，最后一张我要抽到'9'，才能保证胜利，不过这可能性很小呀！怎么办？"笑笑左思右想，最后把"8"放在了千位上。

　　轮到淘气抽牌，他看到笑笑把抽到的"8"放在了千位上，心想："我这次要抽到'9'才行。"可是，淘气抽到的是"7"，他只好无奈地把"7"放在了个位上。

　　紧张的最后一轮，笑笑要抽的牌，是百位上的数，她看了看淘气摆的数，心想："我只要抽到比'5'大的数，就有可能战胜淘气。"于是，她对着淘气说："哥哥，我们就来比比谁的手气更好吧。"笑笑仔细地挑选，翻开一看，是"6"，顿时乐开了花："如果淘气接下来抽到的不是'9'，我还是有机会取胜的哦。"

　　轮到淘气抽牌了，他十分紧张，胜负在此一搏，淘气暗暗给自己打气。他边抽牌，心里边念叨："'9'、'9'……"翻开一看，果然是"9"，淘气兴奋地叫了起来，"耶！是'9'！"

　　最后淘气的数是9547，笑笑的数是8651，淘气终于赢了笑笑一回。

对手	千位	百位	十位	个位
笑笑	8	6	5	1
淘气	9	5	4	7

　　小朋友，你看出来了吗？玩这个游戏，要懂得：把抽到的大数放在高位上，不过手气也很重要哦！快来跟你的好朋友一起玩玩儿吧，比比谁的手气更好。

🍃 秤的演变

　　周末，爸爸妈妈领着淘气和笑笑去外婆家，淘气和笑笑跟着舅舅去了一趟集市，发现那里有各种各样的秤。

　　淘气问："舅舅，最早的秤长什么样子？是谁发明的啊？"

　　"不知道呀，舅舅只知道秤有很多种。"

　　回到外婆家，笑笑跑去问爸爸。

"世界上最原始的秤，是古埃及人发明的。"爸爸想了想，说，"大概在 7000 多年前，古埃及人用一种悬挂式的双盘秤，来称麦子。这种秤有两个秤盘，分别悬挂在秤梁的两端。"

"那我们中国的秤是什么时候发明的？"笑笑追问道。

"在中国，秤的出现也很早。春秋中后期，楚国已经制造了小型的衡器——木衡·铜环权（图一），用来称黄金货币。完整的一套环权共十枚，大体以倍数递增，分别为一铢、二铢、三铢、六铢、十二铢、一两、二两、四两、八两、一斤。当时，一铢等于一两平均分成 24 份中的一份，而一两等于一斤平均分成 16 份中的一份。中国历史博物馆就藏有一支战国时的铜衡杆。后来，逐步演化，就成了现代仍在使用的杆秤（图二）。"

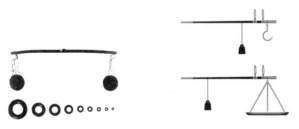

图一　　　　　　　图二

"这种杆秤就是集市上那个卖土豆的老伯伯用的秤。"舅舅在一旁补充说。

"是秤杆长长的那种吗?"淘气问道。舅舅点了点头。

爸爸接着说:"这种杆秤由游牧部落,传入了西方,被命名为罗马秤。罗马秤两臂不等,称重量时,要移动杆秤上的秤锤,直到杆秤达到水平状态。这种秤可以称比秤锤重得多的物体。"

"是这样啊,我们知道了,谢谢爸爸和舅舅!"

小朋友,你见过这些秤没?

12 的后面是 1

一天,爸爸教儿子数数。

爸爸问:"10 的后面是多少?"

儿子答:"10 的后面是 11。"

爸爸又问:"11 的后面是多少?"

儿子答道:"11 的后面是 12。"

爸爸夸儿子聪明,继续问道:"那 12 的后面呢?"

儿子回答道:"是 1。"

爸爸对儿子说:"错了。"

儿子指着钟,对爸爸说:"12 的后面,确实是 1 呀!"

曹冲称象的启示

周末,风和日丽,淘气、笑笑和好朋友们去公园游玩。他们看见大门前有两只雕刻得惟妙惟肖的石狮子,好像马上就要舞动起来一样。

淘气说:"这对石狮子好可爱哦!"

"应该是好威武才对。"笑笑马上纠正。

"对,狮子好威武啊!你们说它们有多重呢?"佳佳接着说。

"拿去称一下,不就知道啦。"淘气回答。

"可是，狮子这么大，有办法称吗?"豆豆问。

"对哦，秤会被压坏的。"

笑笑说："你们听过'曹冲称象'的故事吗?"

"没有啊。怎么啦?"

笑笑清了清嗓子，说："古时候有个孩子叫曹冲，非常聪明。一天，邻国的使者给曹操送来一头大象。曹操和大臣们都很想知道这头大象到底有多重，可是又没有合适的办法称出大象的重量。这时曹冲想出了一个好办法：他把大象赶到一艘大船上，看船身下沉了多少，就在船上刻一条线，然后再用石头代替大象，也使船身下沉到画线的地方，最后称石头的重量，就知道大象有多重了。"

"哦，那我们是不是也可以用这种方法来称呢?"

"是的。"

"不过，那要搬多少石头呀。可不可以不用石头?"

佳佳说："用石头是比较麻烦的，谁有比曹冲更好的办法?"

笑笑想了想，说："曹冲用石头，我们直接用人，那不就可以了。"

"对呀，人直接站到船上，然后称人的重量就可以了。"

"这可比搬石头、称石头方便多了。"伙伴们欢呼着，称赞笑笑的办法多。

小朋友，你觉得笑笑的办法好吗? 你有其他不一样的办法吗?

🍃 巧分南瓜

野猪黑黑有一块南瓜地。地里的南瓜熟了，又大又多，需要人手帮忙收。可小气的黑黑，不愿意拿出足够的酬劳。它跑到地里数了数，一共有 19 个南瓜，想了又想，在森林里贴了张告示。

黑黑要请两只动物帮忙收南瓜。收完之后，黑黑只留下一半。第一个帮忙的，可以得到南瓜平均分 4 份后的一份。第二个帮忙的，可以得到平均分 5 份后的一份。

　　小羊绵绵和咩咩看到了告示，决定一起来帮忙。经过两天辛勤的工作，19 个大南瓜都收回来了。

　　黑黑对小羊们说："你们辛苦了，现在取走自己的那一份吧。说好了，南瓜不能切，你们分吧，分错了可不行。"

　　绵绵和咩咩看着 19 个南瓜，傻眼了，这可怎么分呀？19 既不能平均分成 4 份，也不能平均分成 5 份，连平均分成 2 份也不行啊！

　　黑黑得意地笑了，说："不会分也没关系啊，先把南瓜放在我这儿。什么时候会分了，什么时候来取吧。"

　　说完，黑黑把两只小羊赶出了家门。小羊们垂头丧气地出了门，忍不住哭了起来。

　　住在隔壁的熊大婶看到了，关心地问："小羊乖乖，不哭不哭，你们怎么啦？"

　　绵绵和咩咩把事情的经过告诉了熊大婶。熊大婶一听气坏了："这个黑黑，真是够可恶的。不怕，熊大婶有办法。"

　　说着，熊大婶进屋，拿出了一个大南瓜，对小羊们叮嘱了一番。小羊们高高兴兴地带着南瓜，去了黑黑家。

　　黑黑正得意着呢，绵绵和咩咩又回来了。绵绵说："我带来个南瓜，借给你，现在我们可以分了。"说着，绵绵把带来的南瓜，放进南瓜堆里。

　　绵绵数出 10 个南瓜，交给黑黑："20 的一半是 10，这是你的一半。"数了 5 个南瓜给自己，说："20 除以 4 是 5。"接着，又数了 4 个南瓜给咩咩，说："20 除以 5 是 4。"

　　最后，地上还剩下一个南瓜，绵绵说："这个南瓜，是我抱来的，我要抱走。现在，南瓜刚好分完了。怎么样，黑黑？"

　　黑黑傻眼了，却还是不想给南瓜，说："谁说可以放一个进去再分的！"

　　"这可是熊大婶借给我们的，要不咱们一起去问问她吧。"咩咩故意说道。

　　黑黑不敢惹强壮的熊大婶，只好闭嘴了。

绵绵和咩咩，欢欢喜喜地带着一堆南瓜，找熊大婶报喜去了。

小朋友，你想到了吗?

🍃 组装礼品袋

周末，淘气和笑笑到小姨的糖果屋玩儿。小姨说："下周是糖果屋开业一周年，将举行一个促销活动。你们帮小姨一个忙，小姨照例给你们糖果做奖励，好不好呀?"淘气和笑笑爽快地答应了。

小姨接着说："这里有三种包装好的糖果：果汁糖、太妃糖和巧克力，每包分别有 5 颗、2 颗和 1 颗。你们负责将它们随意组合，放进礼品袋，只要保证每个礼品袋里有 8 颗糖，就可以了。"

说干就干，兄妹俩马上开工。"要组合成 8 颗的礼品袋，可以怎么装呢?"淘气自言自语着，"对了，8 包巧克力，合起来不就有 8 颗了。"

"还可以一包果汁糖、一包太妃糖和一包巧克力，合起来也是8 颗。"笑笑说。

"'二四得八'，4 包太妃糖也行。"淘气补充道，"这下应该没有了吧?"

"不对，"笑笑肯定地说，"还有很多呢。哥哥，刚才没有按顺序一个一个地说明，所以就乱了，看我的。"

笑笑拿出一张纸，写道：果汁糖⑤、太妃糖②、巧克力①。"我要用算式表示装法，用枚举法来做。"

笑笑继续边写边说："我按从大到小的顺序，先想每包数量多的糖果的装法，这样才能做到不重复、不遗漏。"

"果汁糖⑤＋太妃糖②＋巧克力①。"

"果汁糖⑤＋巧克力①×3。"

"太妃糖②×4。"

"太妃糖②×3＋巧克力①×2。"

"太妃糖②×2＋巧克力①×4。"

"太妃糖②＋巧克力①×6。"

"巧克力①×8。"

"一共有7种组合呢!"淘气佩服地望着笑笑。一旁的小姨也对笑笑竖起了大拇指。

淘气和笑笑按照这些不同的方法,搭配好礼品袋,获得了小姨的奖励。小朋友,如果每个礼品袋装10颗糖,你会搭配吗?

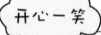

谁最吝啬

"你说,世界上谁最吝啬?"

"当然是数学家咯。"

"为什么?"

"因为他们一毫一厘都要争啊。"

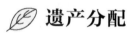 遗产分配

今天,爸爸给淘气和笑笑讲了这么一个故事:

一位富有的商人，不幸生了场大病，即将离开人世，可他的妻子已经怀孕。

富商为了让他们的未来生活有个保障，就立下一份遗嘱：

如果我妻子生下男孩，就将财产平均分成三份，妻子一份，儿子两份；

如果我妻子生了女儿，也将财产平均分成三份，妻子两份，女儿一份。

不久，富商死了，妻子却生下了一对龙凤胎，这可怎么分遗产呢？

小朋友，你也来帮帮忙吧。

淘气抢先了："他们一共三人，把遗产平均分成三份，一人一份，不就行了。"爸爸笑着说："遗嘱是受法律保护，不能随意更改的。"

爸爸看了看兄妹俩，又说："可以想想等量代换哦。"

笑笑听了，说："等量代换，老师说过。先要找出最小的量，那谁分的是最少的呢？"

淘气说："妈妈比儿子少，比女儿多，那应该是女儿最少咯。"

笑笑接着想："那妈妈和儿子分的，又是女儿的几倍呢？"一会儿工夫，笑笑就有答案了："我知道怎么分了，女儿1份，妈妈2份，儿子4份，一共要分成7份。"

淘气在一旁还是一头雾水，于是笑笑画图给淘气看。（如图）

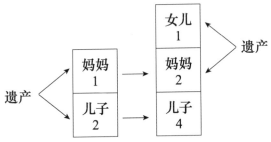

后来，律师的确将遗产平均分成了7份，女儿1份，妈妈2份，儿子4份，履行了富翁留下的遗嘱。

小朋友，你看懂是如何等量代换了吗？

✍ 我到底比你大多少

这天，淘气和笑笑的同学畅畅正和弟弟为谁的年龄大吵架。

"这有什么好比，当然是你大啊。"淘气听了，笑着对畅畅说。

"弟弟今年 6 岁，我 12 岁，我比他大 6 岁……"畅畅解释道。

不等畅畅说完，弟弟嚷道："10 年后，我 16 岁，哥哥 12 岁，我就比哥哥大 4 岁了。"

"你这是强词夺理，胡说八道！"畅畅回应。

淘气终于弄明白，兄弟俩在吵什么了，于是，他像个法官判案似的，说："不要吵了，我来给你们评评理。弟弟今年 6 岁，10 年后 16 岁没错。可你忘了，哥哥也会长大，年龄也会跟着增加 10 岁，哥哥今年 12 岁，10 年后 22 岁，22 岁比 16 岁还是大 6 岁哦。"

"那 20 年后，我还是赶不上哥哥吗？"弟弟不甘心地问道。

"没错，20 年后，你的岁数增加 20，哥哥也增加 20，哥哥还是比你大 6 岁。"淘气补充道。

这下，弟弟似乎听明白了："哦！原来，年龄会随着时间发生变化，但哥哥比我大 6 岁，是不会变的。"

弟弟又问："哥哥现在年龄是我的 2 倍，10 年后也是吗？"

小朋友，再过几年，哥哥的年龄还会是弟弟的 2 倍呢？

开心一笑

减法

数学课上，老师对一名学生说："你怎么连减法都不会？例如，你家里有 10 个苹果，被你吃了 4 个，结果是多少呢？"

这名学生伤心地说："结果是挨了 10 下屁股。"

🖋 未卜先知

淘气和笑笑最近迷上了玩扑克牌，经常会在同学们面前露一手。一到下课时间，他们俩就被包围得"水泄不通"。

你瞧，刚下课，佳佳就跑过来问："淘气，今天你给大家带来什么节目啊？""秘密！少安勿躁！游戏马上开始，笑笑，上场！"

只见笑笑拿出写有 A～9 的扑克牌两叠（共 18 张），将它们混合。接着，请佳佳抽出其中的一张牌，保管着。笑笑把其余的牌，交给豆豆，让豆豆背对着自己。

笑笑让豆豆将牌摊开，又请淘气取出每两张和是 10 的扑克牌。

最后只剩下一张，笑笑看了一眼，立刻就报出了抽走的牌。

这个游戏，淘气和笑笑在同学间屡试不爽。

小朋友，你发现其中的窍门儿了吗？试着和小伙伴们玩玩吧。

游戏揭秘：

原来笑笑利用的是"凑十法"，两张两张凑成十。最后剩下的一张牌，如果是 6，那么佳佳抽走的必定是 4。

🖋 巧称体重

淘气、笑笑和佳佳路过一家米店，看到店里有一个磅秤，他们就想去称一下，看看自己到底有多重。

佳佳先往磅秤上一站，刻度杆一下就顶了起来。原来秤上没放磅码，最多只能称 20 千克。他们三人都超过了 20 千克，当然称不出来。

淘气跑去找老板："老板，借我一个磅码，我们想称称体重。"老板点点头，将 30 千克的磅码，往磅托儿上一放，走了。

淘气高兴地站了上去，刻度横杆耷拉着头，根本不动。"你太轻了，我来。"笑笑拉下淘气，自己往磅秤上一站。刻度横杆还是一动不动。"我们都不到 30 千克,这样也称不出来呢。"

"看来我们要快速增肥,变重一点儿。"佳佳嘀咕着。"变重?有了,那我们就两个两个地称,你们俩听我的指令。"机灵的笑笑胸有成竹地说。

笑笑先让淘气和佳佳往上站,称得 44 千克。接着,笑笑拉下淘气,自己往上一站,笑笑和佳佳共重 45 千克。最后笑笑让淘气换下了佳佳,兄妹俩的体重是 43 千克。

笑笑说:"淘气和佳佳共重 44 千克,我和佳佳共重 45 千克,那么我就比淘气多 1 千克。"

"然后呢?"淘气和佳佳好奇地问。

"别吵!我正算呢。"笑笑接着说,"淘气和我一共 43 千克,把淘气的体重加上 1 千克,就是我的体重,所以 43+1 就是两个我的体重。"

"嘿嘿,那我就是 44 的一半,22 千克。"笑笑得意地说,"淘气体重就是 21 千克,那佳佳就是 23 千克啦。"

淘气和佳佳听了,不约而同地说了声:"高手!"

小朋友,你知道了吗?

🍂 爸爸的礼物

周末，爸爸出差回来了，淘气和笑笑可高兴了。

爸爸拿出礼物，神秘地说："你们猜猜是什么？"兄妹俩猜来猜去，也没猜对。于是爸爸打开盒子，原来是盼望已久的芭比娃娃！兄妹俩同时扑向爸爸："爸爸，我们爱你！"

"别急，还有呢！""还有？"淘气和笑笑的眼睛睁得可大了，只见爸爸又拿出了一盒包装精美的糖果，说："这可是非常好吃的哟！你们俩分了吃。不过要等到晚饭过后，要不妈妈该骂了。""是！"淘气和笑笑乖巧地点点头。

吃过晚饭，妈妈正在厨房洗碗，忽然听到儿子跟女儿的争吵声。她进屋一看，原来俩人正在为分糖果的事争吵呢。

淘气看到妈妈进来，委屈地哭起来："妈妈，笑笑耍赖，她的糖比我的多。"说着说着，哭声更大了。

妈妈一边安抚淘气，一边了解情况，原来笑笑从小最爱吃糖，比淘气多分了 8 块糖。

　　妈妈擦干淘气的眼泪，对兄妹俩说："兄弟姐妹一个样儿，和和乐乐是一家。笑笑，你想想，怎样才能使糖果分得一样多呢？"

　　笑笑想了想，说："我只要给哥哥4块，就可以了。""不行，你明明多了8块。"淘气说。

　　小朋友，你觉得笑笑给淘气4块，行吗？

　　让我们一起来看看图吧！

笑笑：□□ ○○○○○○○○

淘气：□□ ▲▲▲▲
　　　　　　　○○○○

　　哦，原来笑笑比淘气多了8块。笑笑只要拿出8块的一半给淘气，俩人就一样多了。你想到了吗？

　　如果笑笑把糖分给淘气后，淘气反而比笑笑多了2块，你知道笑笑给淘气几块糖吗？

💭 **开心一笑**

宝宝数学太好了

　　宝宝数学很好，2岁就可以从1数到10了。后来，妈妈告诉他：0比1还小。

　　有一天吃饺子，妈妈说："宝宝，你来数数，你想吃几个饺子？"

　　"0，1，2，3……"宝宝一边说着，一边拿起一个饺子，"这是第0个饺子。"